CARYL LEWIS

Y BWTHYN

y Lolfa

Hoffwn ddiolch i Gomer James, Bont Farm, am rannu ei atgofion o'i blentyndod ar fferm fynyddig Hirnant, Ponterwyd. Diolch hefyd i Meinir Wyn Edwards am ei chefnogaeth a'i gofal ac i Nia Peris am ei darllen gofalus.

Argraffiad cyntaf: 2015

Cynllun y clawr: Sion Ilar
Llun y clawr: Thinkstock

Rhif Llyfr Rhyngwladol: 978 1 78461 163 7

Dymuna'r cyhoeddwyr gydnabod cymorth ariannol
Cyngor Llyfrau Cymru

Cyhoeddwyd ac argraffwyd yng Nghymru
ar bapur o goedwigoedd cynaladwy gan
Y Lolfa Cyf., Talybont, Ceredigion SY24 5HE
e-bost ylolfa@ylolfa.com
gwefan www.ylolfa.com
ffôn 01970 832 304
ffacs 01970 832 782

Y BWTHYN

I John R. Hughes, Pencwm, fy nhad yng nghyfraith,
gyda diolch am yr holl straeon

We shall not cease from exploration
And the end of all our exploring
Will be to arrive where we started
And know the place for the first time.

T. S. Eliot (*Four Quartets*)

Aros mae'r mynyddau mawr,
  Rhuo trostynt mae y gwynt;
Clywir eto gyda'r wawr,
  Gân bugeiliaid megis cynt.
Eto tyfa'r llygad dydd,
  O gylch traed y graig a'r bryn;
Ond bugeiliaid newydd sydd
  Ar yr hen fynyddoedd hyn.

Ar fin y mynydd ganwyd ef,
  Ac fel y blodyn bychan
Oedd ar y grug wrth gefn ei dŷ,
  Blagurodd yntau allan –
Fe gafodd hafddydd yn yr haul,
  A gauaf yn y stormydd;
Ac yna megis blodyn grug,
  Fe wywodd ar y mynydd.

John Ceiriog Hughes (dau bennill
o'r dilyniant o gerddi *Alun Mabon*)

1

Y mynydd

ROEDD HI'N LLONYDD heno. Trodd Enoch ei ben a gwrando. Fel arfer, byddai'r awel yn cribo gwellt y bwla neu fe ellid clywed dŵr yn rhedeg yn ddwfn o dan ddaear. Dim ond mis Medi allai ddod â thawelwch llwyr i'r mynydd, fel pe bai'r haf wedi bwrw'i blwc, a'r hydref yn dal ei anadl cyn rhydu'n araf dros y tir garw. Deuai'r niwl a'r eira eto i fygu'r tirlun ond doedd dim llonyddwch fel llonyddwch byw mis Medi. Cydiodd yn dynnach yn ei ffon a cherdded ar hyd yr hen lwybr trwy Lechwedd Rhedyn.

Roedd e wedi gwthio'i fys dan ei goler gwyn bŵer o weithiau yn y capel. Roedd gwres y gynulleidfa wedi stemio'r ffenestri bychain ac fe dynnodd hances o'i boced sawl gwaith i sychu'i dalcen. Y bore hwnnw, bu'n ymbalfalu â'r dei ddu am yn hir cyn iddo orfod galw ar Isaac. Clymodd hwnnw'r cwlwm iddo'n swrth. Fuodd e erioed balchach i dynnu'r siwt dywyll ar ddiwedd y dydd, a'i hongian yn ôl yn yr hen wardrob yn syth fel yr oedd Hannah yn hoffi iddo'i wneud, ac ailwisgo'i gap. Roedd y rhedyn yn mogi'r llwybr a hwnnw'n cau. Roedden nhw i gyd yn cau erbyn hyn gan nad oedd neb bron yn eu cerdded, a'r drysni'n crogi ac yn salwyno wyneb yr hen fynydd. Teimlodd wres yn codi trwy'i gorff a'i frest yn tynnu.

Roedd Llechwedd Rhedyn yn rhedeg ar hyd ochr y mynydd i lawr at Nant y Clychau, lle safai'r hen fwthyn bugail yn ddim llawer mwy na phedair wal a tho erbyn hyn. Ar bwys hwnnw yr arferai ei fam ladd mawn bob mis Mai a philio croen yr hen fynydd yn ôl. Roedd y creithiau'n dal i'w gweld yno heddiw. Yna, âi'r tir i fyny tuag at Bwll yr Eidion a draw at Ben Cripie. Yn y fan honno roedd y rhostir gwlypaf ac uwch hwnnw roedd 'na ddarn o dir gwastad dan gopa'r mynydd a elwid yn Fainc Ddu. Arweiniai hwnnw at y Creigiau Mawr. Cyn dyfodiad y ffensys, fe adwaenai Enoch a'r cymdogion bob modfedd o'r ffriddoedd. Roedd ei gamau'n arafu ychydig erbyn hyn. Trodd am Bwll yr Eidion.

Roedd digon o fwyd wedi'i baratoi gogyfer â'r te yn festri'r capel a rhoddwyd peth ar gôl Enoch yn y car, wedi ei lapio mewn lliain gwyn. Rosemary Clawdd Melyn hebryngodd ef adre gan fod Isaac wedi mynd i'r dafarn. Rhoddodd Enoch y bwyd i lawr, heb ei gyffwrdd, yn yr hen gegin gul cyn mynd i fatryd. Daeth yn ôl i lawr wedyn ac eistedd am ychydig ar bwys y tân yn gwrando ar yr hen gloc casyn hir yn cerdded, ond aeth y tawelwch yn ormod iddo. Fe wyddai y gallai faglu a chwympo ar yr hen lwybr ond allai e fyth aros yn y tŷ. Trodd Enoch ar bwys yr hen ffeldyn ac edrych yn ôl i lawr y cwm. Uwch ei ben gwyliai barcud coch ef gan agosáu i weld beth oedd wedi tarfu ar y llonyddwch. Roedd ei fysedd fel pren y ddraenen erbyn hyn a chroen ei wyneb wedi ei dynnu'n dynn am ei benglog. Ond er ei bedwar ugain oed roedd ei gerddediad yn hynod o sionc a'i lygaid yn siarp. Crogai'r chwiban hanner lleuad yn feunyddiol oddi ar hen lasen am ei wddwg, yn codi a disgyn gydag anadlau ei frest.

Cael ei ddanfon draw i Dyddyn Isaf gan ei fam wnaeth e pan oedd e'n fachgen. Roedd oen oedd yn eiddo i Gomer wedi dod i mewn i'w ffeldydd nhw. Rhoddwyd hwnnw ar ei ysgwyddau eiddil a'i orchymyn i fynd ag ef adre. Pan gyrhaeddodd Enoch draw doedd dim sôn am neb. Ar ôl gollwng yr oen ar y ffald, fe aeth o ffenest i ffenest, ond roedd y cyrtens wedi eu cau a hithau'n ganol dydd. Arhosodd am eiliad cyn clywed sŵn camau. Cripiodd i gefn y tŷ a syllu i mewn i ffenest y pantri i weld Hannah'n dawnsio, a'i thraed yn taro'r teils du a choch. Roedd ei gwallt du wedi ei dynnu'n rhydd a'i llygaid ar gau wrth iddi droi yn ei hunfan. Roedd hi'n rhyw bedair ar ddeg oed. Y peth harddaf welsai Enoch cyn hynny oedd y defaid yn llifo i lawr y mynydd amser hela, yn un afon wen. Gwyddai Enoch y byddai tynnu ei sylw yn torri ei chalon felly fe aeth adre heb adrodd ei neges, ac er ei fod wedi ei gweld bŵer o weithiau yn yr ysgol cyn hynny heb wneud llawer o sylw ohoni, allai e ddim cysgu'r noson honno.

Roedd y barcud wedi llonyddu fel yr awel. Ei lygaid wedi eu hoelio ar saig oedd yn siffrwd ymysg y rhedyn. Roedd y dydd yn tynnu ei gynffon ato hefyd, a'r nawsyn wedi newid. Gwyliodd Enoch y barcud â'i lygaid gleision dyfrllyd. Safai Tyddyn Isaf yn wag erbyn hyn yng nghanol y grug porffor a'r gwyngalch wedi pylu a llwydo. Teimlai Enoch ei wendid hefyd. Fe fethodd ganu heddiw; roedd ei alar yn garreg drom yn ei wddwg ac fe aeth yn ôl ddwy neu dair gwaith at lan y bedd gan wybod y byddai'n rhaid iddo ei gadael yno yn y diwedd. Aros wrth gât y fynwent wnaeth Isaac a'i ên ar ei frest, yn aflonydd o eisiau mynd i'r dafarn. Gwyddai Enoch y byddai'n uchel ei gloch erbyn hyn.

Roedd y tawelwch yn berffaith a'r golau'n cynhesu tuag at y machlud, ac am eiliad roedd amser fel petai wedi peidio rhwng Tyddyn Isaf a'r hen fynydd. Doedd dim un tawelwch mwy dychrynllyd na'r tawelwch a fu yn y tŷ ers i Hannah eu gadael. Y tawelwch ar ôl iddo fynd i'r gwely, a neb yn cymhennu llestri i lawr y grisiau. Y tawelwch cyn amser cinio dydd Sul a'r stof yn oer, a thawelwch anadlu un yng nghanol y nos. Safodd am ennyd a'r barcud yn groes uwch ei ben. Teimlodd yr oerfel yn treiddio i fêr ei esgyrn. Roedd hi'n tywyllu. Trodd yn ôl am yr hen lwybr ac wrth iddo wneud fe blymiodd y barcud coch yn ddidrugaredd i'r llawr.

2

Y tŷ

EISTEDDAI ISAAC AR bwys y bwrdd. Cliciodd ei dafod ar yr ast a orweddai wrth ei draed wrth glywed ei dad yn dod i lawr y grisiau, a sgelciodd honno allan drwy'r drws agored. Roedd hen dân yn mygu'n ddu yn y grât. Chododd Isaac mo'i lygaid i wylio'i dad yn cerdded ar draws y leino i'r gegin gefn i moyn ei gwpan. Daeth yn ôl at y bwrdd a chodi'r tebot i arllwys cwpaned iddo'i hun, cyn mynd i eistedd wrth y tân. Tynnodd ei gap a'i wisgo am ei ben-glin.

"Wi 'di bod yn meddwl am bethe..." mentrodd Isaac o'r diwedd. Roedd ei ddau benelin ar y bwrdd a'i fysedd yn seimllyd ar ôl cydio yn ei facwn. Sychodd ei fysedd yn ei drowser cyn tynnu braich ei siwmper dros ei geg. Eisteddodd yn ôl. "Meddwl falle ddylen ni sorto'r tir 'ma. Ma 'na dacs i dalu os nad yw rhywun yn rhoi lle yn enw rhywun... ma pethe'n digwydd."

"Byddwn ni'n hela fory," atebodd Enoch heb symud ei lygaid.

Oedodd Isaac am eiliad. "Y ffarm fydd ar ei hennill, yn lle bo ni'n rhoi arian ym mhocedi'r diawled 'na yn y —"

"Fydd ise i ti godi torth o'r siop, inni ga'l neud te," meddai Enoch, a'i ên wedi ei thynnu'n dynn.

Tawelodd Isaac. Crymodd ei gefn. Ei fam fyddai'n gwneud y te ar gyfer hela fel arfer. Byddai hi'n dod â'r cwbwl mewn basgedi ac yn eu cario tuag at y parc. Bydden nhw'n gwybod ei fod yn barod pan fyddai hi'n taro dau fyg enamel yn swnllyd at ei gilydd.

"Meddwl falle o'n i bydde fe'n dawelwch —"

"Meddwl o't ti'n neud yn y dafarn 'na, ife?" Roedd llais Enoch wedi codi'n beryglus.

Cododd Isaac ei lygaid yn siarp at wyneb ei dad. "Iesu Grist, dim ond ca'l clonc o'n i..."

"Ar ôl angladd dy fam fel'na. Do's dim cywilydd i ga'l 'da —"

"Bach o gwmni..."

"Ti'n meddwl mai cwmni yw'r rhacs 'na lawr ffor'na? Yn iste ar 'u tine yn lle mynd adre i neud rhywbeth... Do's dim *gas* i ga'l 'da nhw. Yr holl waith dros y blynydde, a tithe'n yfed y cwbwl wedyn..."

"Pwy yfed y cwbwl naf i ar y *wages* y'ch chi'n rhoi i fi...?"

"A diolch byth am 'ny, weda i..."

Gwthiodd Isaac ei gadair yn ôl yn ei dymer, a chodi.

Roedd Enoch wedi codi ar ei draed hefyd erbyn hyn, a'i law yn dynn am ei ffon. Safodd y ddau mewn tawelwch yn gwrando ar y cloc yn cerdded yn araf. Gallai Isaac glywed y siffrwd ym mrest ei dad. Yna, a blas wisgi'r noson flaenorol yn chwerwi yn ei geg, fe drodd a mynd am allan gan gau'r drws â chlep ar ei ôl.

Setlodd y tawelwch yn ôl i'r hen stafell gyda'r llwch. Safodd Enoch am ychydig ac edrych ar yr hen dŷ fel pe bai'n ei weld o'r newydd. Plygodd a chodi'i gap yn ôl am ei ben.

Roedd Isaac wedi tynnu'r bwrdd yn ôl i ganol y stafell. Bu Hannah'n gorwedd yn y tŷ am dridiau cyn mynd â'r corff i'r capel. Bu'n rhaid clirio lle i'r arch a symud trugareddau bob dydd allan o'r ffordd. Erbyn hyn, roedd popeth yn ôl lle roedden nhw i fod ond eto, roedd rhywbeth, rywffordd, yn wahanol. Stafell gul oedd hi, dreser un ochr a lle tân agored yr ochr arall. Roedd hwnnw wedi ei addurno â brasys ceffylau gwedd ac uwchben stôl Enoch roedd llun o'r hen deulu yn eistedd mewn rhes tu fas i'r capel a'u coleri mor wyn a startshlyd â'u gweddïau. Eisteddai pob un â'u dwylo ar eu pengliniau. Pob un fel pìn mewn papur. Roedd welydd y tŷ yn isel ac yn drwchus i wrthsefyll y gwynt a losgai'r hen fynydd yn y gaeaf. Roedd y tŷ yng ngenau'r tir, fel pe bai hwnnw'n bygwth ei lyncu. Ac er bod yna hen goed ffrwythau o flaen y tŷ, safai'r rheini'n fach, heb godi eu pennau'n iawn i'r gwynt. Clywodd Enoch y tân yn tagu y tu ôl iddo. Trodd yn araf, a thaflu plocyn i'w ganol.

Un byrbwyll fuodd Isaac erioed. Fe brofodd ei natur pan oedd e wedi tyfu'n llarpyn wyth oed. Fe roddodd dri deg o ŵyn a'u mamau iddo mewn lloc a gofyn iddo eu dethol. Byddai'n rhaid gadael i'r defaid lonyddu a dechrau galw am eu hŵyn cyn ichi fedru adnabod pa oen oedd yn berchen i ba ddafad. Yna, byddai'n rhaid eu rhannu oddi wrth y gweddill. Ar ôl y bwrlwm a'r ffair, a'r brefu, byddai'n rhaid gadael iddyn nhw lonyddu unwaith eto cyn dechrau ar y pâr nesaf. Dod i'r tŷ yn ei dymer wnaeth Isaac yn y diwedd ar ôl cydio mewn ffon a chlatsho'r ci nes ei fod yn gwichial yn ei grwb, a'i gynffon yn grwn o dan ei goesau. Gwyddai Enoch ei natur o'r diwrnod hwnnw, ac er fod Hannah wedi eisiau mynd â the cynnes iddo ar ôl ei glywed yn llefen yn ei wely'r noson honno, fe hadodd Enoch hi. Roedd e wedi dangos ei liwiau.

Roedd y mwg o'r tân wedi dechrau llosgi ei lygaid erbyn hyn. Tynnodd hances o'i boced i'w sychu a chwiliodd y tu ôl iddo am fraich y gadair, cyn eistedd. Hannah fu'n iro'r sgwrs rhwng y ddau ers y diwrnod hwnnw. Hi fu'n cario negeseuon, yn cynnig cyfaddawd ac yn canmol y naill i'r llall.

I'r bwthyn yr aeth y ddau i fyw ar ôl priodi gan fod mam Enoch a'i fam-gu yn dal yn byw yn y tŷ. A sŵn Nant y Clychau fu'n suo'r ddau i gysgu yn y dyddiau cynnar hynny. Hen fwthyn un stafell oedd e, a'r welydd yn diferu o leithder. Ac yn yr haf, pan fyddai'r drws ar agor, byddai'r gwybed yn eich bwyta'n fyw. Wrth ddrws y ffrynt roedd hen dderwen a choeden ffawydden yn tyfu o'i chrombil. Rhyw wiwer wedi codi hedyn a'i guddio mewn man gwan yn y dderwen, mae'n siŵr, a hwnnw wedi egino a thyfu'n gryfach na'r dderwen, ac yn y diwedd wedi torri ei chalon hi a ffrwydro o'i pherfedd.

Roedd y tân yn dal yn oer ac am eiliad fe hiraethodd am y tân mawn y byddai ei fam yn ei gynnau yn yr un grât. A hwnnw'n llenwi'r hen dŷ ag arogl pridd, ac arogl gwair ac arogl mynydd.

3

Cynefin

CYNHELID HELFA DEIRGWAITH y flwyddyn. Yn gyntaf, pan fyddai mis Mai yn ffluwcho'r ddraenen wen â blodau. Honno fyddai'r helfa anoddaf, a'r ŵyn a'u gwlân llachar yn tasgu oddi ar y creigiau. Ac yntau heb eu hela o'r blaen, fe fydden nhw'n byrlymu mewn rhaeadrau oddi ar y llwybrau ac yn troi'n ôl heb reswm. Byddai'r defaid, wrth gwrs, yn dilyn y llwybrau'n ffyddlon. Byddai'n rhaid eu gadael dros nos yn y parc wedyn cyn tocio a thorri nod clust y diwrnod canlynol.

Byddai'r ail helfa yn digwydd fel pader ar ôl helfeydd mynyddoedd Peithnant a Gorddu, ar ail ddydd Llun Gorffennaf. Byddai'r helfa honno'n fwy hamddenol gan fod yr ŵyn yn gwybod y ffordd bellach a'r defaid yn drwm o wlân. Roedd peryg eu gwthio'n rhy galed rhag ofn iddyn nhw orboethi a thrigo. Byddai'r cneifwyr yn dod wedyn a diwrnod o waith caled o'u blaenau, yn lle'r wythnos neu ddwy yr arferai hi fod cyn iddyn nhw gael eu gorfodi i gadw llai o ddefaid.

Fis Medi, byddai'r ŵyn yn dilyn y llwybrau'n fwy ufudd, a'r defaid yn rhedeg y rhedyn. Os troai ambell un yn ôl a mynd ar gyfeiliorn, yn ôl i'r mynydd fydden nhw'n mynd heb eu mamau, am fod eu cynefin yn fam iddyn nhw hefyd erbyn hynny.

Gwasgodd Isaac glicied y drws coch a gadael y ddwy ast yn rhydd i'r ffald. Tasgodd y rheini o gwmpas ei sodlau. Cŵn cwrso oedd gan Isaac, cŵn swnllyd a fyddai'n chwifio eu cynffonnau ac yn hysio'r defaid o'u cuddfannau ar y mynydd.

Gyrru ymlaen fydden nhw'n ei wneud, a'u cyfarth aflafar yn atseinio ar hyd y ffriddoedd.

Byddai cŵn blaenu ei dad, fodd bynnag, yng nghefn y Land Rover yn barod. Cŵn sgotsh oedd y rheini, eu symudiadau'n fwy cynnil, yn fwy anodd i'w darllen, a byddent yn rhedeg hyd y mynydd i droi defaid a redai mewn un ffrwd ar hyd y rhedyn yn ôl. Fel cerrig mewn nant, fe safent yn llwybrau'r defaid a'r rheini'n gorfod newid trywydd wrth ddod benben â nhw. Byddai Enoch yn pwyso ar ei ffon ac yn eu dysgu wrth y parc pan fydden nhw'n llarpod, yn ceisio tawelu'r asbri ifanc fyddai'n berwi'n naturiol ynddyn nhw. Os byddai un yn rhy awchus ac yn gyrru ymlaen yn ormodol, byddai'n ei alw ato am faldod cyn tynnu ei goes flaen i mewn i'w goler. Byddai'n rhaid iddo arafu ac yntau â dim ond tair coes, a'r ymdrech o symud yn gwneud iddo feddwl ddwywaith am wastraffu egni. Cofiodd Isaac y byddai bois Peithyll yn ei ddisgwyl.

Cerddodd o'r ffald tuag at y llwybr i'r mawndir. Gallai rowndio padell y mynydd wedyn a hel y defaid yn ôl tuag at y parc lle byddai ei dad, yn ôl ei arfer, yn pwyso ar ei ffon ac yn eu cyfri i mewn fesul pump a'i wefusau'n symud mewn tawelwch fel pe bai'n yngan Gweddi'r Arglwydd. Tynnodd ei got yn dynnach amdano. Esgidiau stabal oedd am ei draed heddiw gogyfer â'r cerdded. Fyddai Isaac byth yn gwisgo cap ac roedd ei wallt du yn gwrs ac wedi britho o gwmpas ei glustiau. Dan ei lygad dde roedd marcyn geni yn goch sgald. Dim ond smotyn oedd e pan oedd e'n un bach, ond erbyn hyn fe waedai ar hyd ei foch i gyd. Roedd y gwynt wedi naddu crychau i ochrau ei lygaid ac roedd yn drymach ac yn feddalach ei gorff na'i dad.

Rowndiodd y llwybr a cherdded am y bwthyn. Isaac oedd wedi darganfod ei fam. Wedi mynd mas â'r lludw oedd hi i fonion yr hen goed falau. Roedd e wedi dweud wrthi ganwaith na ddeuen nhw â ffrwyth rhagor ac mai ofer fyddai ei hymdrechion, ond mynnu fyddai hi. Ddaeth ei dad ac yntau ddim i'r tŷ nes iddi nosi. Cariwyd hi i mewn a'i rhoi yn y gwely. Eisteddodd ei dad ar ei phwys wedyn, yn edrych ar ei dwylo gwynion yn gorwedd ar y garthen, nes daeth y doctor. Ond mynd wnaeth hi. Caeodd ei dad ei llygaid a chlymu hances am ei cheg a dros ei phen i gadw ei genau ar gau. Gadawodd Isaac ei dad yn cribo'r lludw o wallt ei fam a cherdded allan am y mynydd i wrando ar sŵn y cornicyll yn wylo yn y tywyllwch.

Tynnodd Isaac y chwiban hanner lleuad i'w geg a'i orffwys ar ei wefus isaf. Chwibanodd, ac fe redodd y ddwy ast mewn cryman ar hyd godre'r badell. Roedden nhw'n neidio'n swnllyd dros y borfa hir. Codai'r defaid eu pennau wrth eu clywed yn dod, troi eu clustiau a rhuthro ymlaen yn eu cyfer.

Doedd ei fam ddim wedi bod yn iawn ers amser. Câi ei denu'n ôl at yr hen fwthyn o hyd, fel petai hi'n dal yn meddwl ei bod yn byw yno. Daeth o hyd iddi ryw noson ar bwys y gors a hithau wedi pregethu arno dros y blynyddoedd am beryglon y tyllau daear. Pan oedd e'n un bach, fe gododd hi ofn dychrynllyd arno am byllau dyfnion a llwybrau tanddaearol nes ei fod yn clywed y gors yn anadlu'n dywyll yn ei gwsg. Ond yn ddiweddar, hi fyddai'n crwydro fel rhyw oen colledig, ac yntau wedi gorfod ei harwain bŵer o weithiau yn ôl i gorlan y ffald.

Gallai weld bois Peithyll yn cerdded cribyn Pen Cripie yn y pellter a'u cŵn defaid yn crymanu drwy'r brwyn. Er y bydden nhw'n dod yn ffyddlon deirgwaith y flwyddyn i helpu, byddai ei dad yn dyfyrio eu cŵn am fod yn rhy wyllt ac yn rhy gegog ac yn rhy barod i dynnu dafad i'r llawr. Disgyblaeth oedd eisiau ar y cwbwl, byddai'n taeru o dan ei anadl. Rhedai'r defaid ar hyd y ffridd agored tuag at y troad ar bwys y Fainc Ddu lle roedd y cwm yn cau fel twndis a'r anifeiliaid yn gorfod arafu. Cododd cŵn Isaac rhyw hesbinod styfnig a gwyliodd Isaac nhw'n chwythu ac yn taro'u carnau ar y llawr cyn troi a hel yn ôl at y ddiadell.

Codi maglau oedd e, y tro diwethaf iddo'i gweld hi yno. Yn sefyll yn stond o flaen y bwthyn yng ngolau leuad mis Awst. Roedd honno'n isel ac yn drwm ac yn taflu golau fel llwydrew ar hyd y brwyn ar bwys y nant. Teimlodd Isaac rhyw gryndod trwyddo. Ddywedodd hi 'run gair, dim ond sefyll yn ei gŵn nos o flaen yr hen le, a'i llygaid ymhell. Gwthiodd yntau ei fraich a'i phlethu yn ei braich hithau gan ei thynnu'n ôl at y tŷ mewn tawelwch. Dyfyrio a chynddeiriogi wnaeth ei dad, yn 'ffaelu'n deg â deall beth oedd yn bod ar y fenyw'. Aeth Isaac i olchi a thendio'i thraed cyn gwisgo sanau glân amdanyn nhw, a thynnu fest gras dros ei phen gan wylio'i dagrau cynnes yn tampio'i bochau. Gwisgodd ei gŵn nos yn ôl amdani cyn ei rhoi i orwedd yn y gwely a'i gorchuddio â'r cwrlid. Cerddodd yn araf i lawr y grisiau wedyn i weld ei dad wedi troi ei gefn ac yn syllu i'r tân.

Roedd hi bron yn amser te deg ac fe glywai sŵn y defaid yn codi o waelod y cwm. Deuai chwibanu o'r pellter bob hyn a hyn, a'r hen fynyddoedd yn chwarae â'r sŵn gan ei daflu yn ôl ac ymlaen ymysg ei gilydd. Ffrwydrai'r defaid yn nentydd gwynion o wahanol gyfeiriadau nes ymuno â'r brif ffrwd a ymlwybrai'n daclus i'r parc wrth odre'r mynydd lle safai ei dad yn ei ddillad tywyll. Fe fydden nhw wedi bennu dethol yn hwylus erbyn canol y prynhawn ar gyfer y dipio fory. Yna, fe allai Isaac droi'r defaid yn ôl i'r mynydd a rhoi ei law ar gefnau'r ŵyn er mwyn dewis pa rai fyddai'n mynd i'w lladd. Byddai sŵn yn y caeau wedi tynnu'r defaid oddi wrth yr ŵyn ac fe fyddai Isaac yn gorwedd bob blwyddyn yn ei wely lwyr ei gefn yn gwrando ar y brefu yn hiraethu'r nos hyd oriau mân y bore.

Yna, o gornel ei lygad, fe welodd y defaid yn chwalu, yn rhedeg i bob man fel dŵr. Daeth sŵn chwibanu mewn un côr, a gweiddi bois Peithyll a'i dad.

Yn cerdded tua'r bwthyn, yn llwybr y defaid, roedd ffigwr yn cario pac ar ei gefn. Rhythodd Isaac arno. Gallai glywed ei dad yn gweiddi dros gyfarth y cŵn ar y ffigwr i fynd o lwybr y defaid. Roedd ei ffon uwch ei ben. Cyflymodd cerddediad y ffigwr ond roedd y defaid wedi troi. Dechreuodd Isaac drotian gan weiddi ar ei gŵn i yrru ymlaen hebddo i'r pellter. Chwifio eu breichiau wnaeth bois Peithyll a gweiddi i droi'r defaid yn ôl wrth i'r bachgen pen golau ddiflannu tuag at y bwthyn. Gyrrwyd y cŵn blaenu ar eu holau a'r rheini'n ymestyn eu camau tuag at flaen y ddiadell. Cafodd y cŵn orchymyn i gyfarth ac o'r diwedd fe arafodd y prif lif i stop, ond ddim cyn i barti bach ddianc yn ôl i Ben Cripie. Ar ôl tipyn o gnoi sodlau, fe aeth y defaid ar drai gan gasglu yn ôl i'r un corff. Safodd Isaac o'r diwedd, gan ddychmygu dicter yn fflachio yn llygaid ei dad ar ôl colli'i gyfri. Pwysodd ei ddwylo ar ei bengliniau i ddal ei anadl cyn i ryw atgof ddechrau cosi ei feddwl. Cofiodd y dafarn ar ôl angladd ei fam, ac am y wisgi. Cofiodd y dyn a oedd yn adnabod rhywun a oedd yn chwilio am rywle i aros. Cofiodd y siglo llaw. Cododd a sythu ei gefn i edrych ar y ffigwr yn diflannu tuag at Nant y Clychau yn anymwybodol o'r anhrefn a'r anesmwythdra a adawodd ar ei ôl.

4

Nant y Clychau

ROEDD NANT Y Clychau'n llifo'n gyflym. Roedd glaw yr wythnosau diwethaf wedi crynhoi ynddi ac wedi oeri. Safodd Owen ar y lan yn gwrando ar sŵn y dŵr yn boddi brefu'r defaid yn y pellter. Gwasgai strapiau'r pac ar ei gefn i'w ysgwyddau. Byddai'n rhaid iddo dynnu ei esgidiau a'i sanau, a rhowlio'i drowser i fyny er mwyn cerdded drwy'r dŵr. Doedd dim ffordd arall o groesi. Tynnodd ei bac a'i osod ar ben twmpath o frwyn ac eistedd i dynnu ei esgidiau. Clymodd nhw wedyn wrth eu carrai ar ochr ei bac a rhowlio'i drowser i fyny. Roedd y trip wedi bod yn un hir. Ar ôl teithio ar y trên i'r orsaf agosaf, bu'n rhaid iddo aros i fws y post ei godi a'i adael ar bwys godre'r gât ar ben y lôn. Bu'n rhaid cerdded gweddill y ffordd a dim ond disgrifiad ei ffrind yn fap iddo. Tynnodd anadl hir. Camodd i'r dŵr a thynnu aer drwy ei ddannedd wrth deimlo'i oerfel. Roedd y llif yn gryf; gallai ei deimlo'n bygwth ei bigyrnau. Roedd yn anwadal braidd, a phwysau'r pac ar ei gefn yn ei ddisodli ychydig. Edrychodd i fyny tuag at y bwthyn yn swatio'n styfnig yn y pellter.

Roedd y cerrig yn fras ac yn gyntefig o fawr, a'u harwynebau wedi eu gorchuddio â rhyw lysnafedd du. Edrychai croen ei draed yn llachar o wyn drwy'r dŵr. Camodd ymlaen, a'i draed tyner yn gwneud iddo wingo bob nawr ac yn y man. Dim ond rhyw ugain llath o led oedd y nant ond roedd ei gamau'n fach a'r pellter i'w weld yn hirach. Camodd a phwyllo. Camu a phwyllo, gan sythu ei hun ar ôl pob cam a dal ei freichiau allan fel adenydd. Roedd hi'n oeri, a gwynt main yn casglu wrth y nant. Camodd unwaith eto. Ac eto. Ond damsgenodd ar garreg finiog a rhwygodd honno'i groen gwyn gan ei daflu oddi ar ei echel. Cymylodd y dŵr â gwaed. Cwympodd yn grwn i'r dŵr gan dynnu anadl swnllyd o waelod ei ysgyfaint, gymaint oedd sioc yr oerfel. Roedd ei ddillad yn sopen a'i groen yn llosgi gan y dŵr. Teimlai'r llif yn codi ei bwysau ychydig a chrafangodd ymysg y cerrig duon. Cafodd afael yn y diwedd a stablan ar ei draed, a'r dŵr yn diferu'n ddidrugaredd i lawr ei gefn. Roedd pwysau'r pac gwlyb yn ddeg gwaith gwaeth. Roedd gwlypter ei groen yn miniogi'r gwynt ac aeth hwnnw trwy ei gorff fel pe bai'n ymosod arno. Tynnodd anadl hir arall a cheisio sadio'i hun, cyn ymbalfalu ar ei bedwar bron am y brwyn yr ochr arall i'r nant.

Gwasgodd glicied y drws a gwthio'i ysgwydd yn ei erbyn. Symudodd hwnnw ddim wedi iddo chwyddo ar ôl glaw yr wythnosau diwethaf. Gwthiodd eto, cyn ei gicio â'i draed noeth. Dim byd. Roedd y gwynt yn chwipio heibio'r bwthyn a mêr ei esgyrn yn oeri. Hyrddiodd holl bwysau ei gorff yn erbyn y drws, ac o'r diwedd fe ildiodd. Daeth arogl llaith i'w gyfarfod. Arogl hen. Arogl amser. Arogl llwydni. Caeodd y drws y tu ôl iddo gan adael i'w lygaid gynefino â'r tywyllwch. Safodd yn y gwacter am rai eiliadau. Dim ond un stafell oedd yno, a llofft yn crogi uwchben, gydag ysgol yn arwain iddi. Roedd honno'n gorlifo o hen duniau olew a darnau o bren, o'r hyn y gallai Owen ei ddirnad drwy'r tywyllwch. Roedd hen wely mewn un cornel a matras wedi ei godi ar ei ochr. Ar bwys hen dân agored safai bwrdd, dwy stôl a chadair. Cerddodd dros y slabiau glas i gefn y stafell lle roedd cegin gul a hen sinc bridd. Syllodd yn ôl wedyn am y drws a sylwi bod ei draed gwlyb wedi gadael olion duon ar hyd y llawr llychlyd.

Edrychodd ar bwys y lle tân; doedd dim coed yno. Gallai gasglu brigau y tu allan ond byddai'r rheini'n damp ar ôl y glaw. Sylwodd ar ryw ffrwcsach yn y grât. Gwnâi'r rheini'r tro. Tynnodd ei got a'i siwmper, a'r rheini'n glynu at ei groen, cyn agor ei bac. Roedd y cyfan yn wlyb sopen. Haliodd ei ddillad allan, gan wylio'i anadl yn stemio yn yr oerfel. Cododd croen gŵydd ar hyd ei asennau. Roedd y clwy ar ei droed yn llosgi a'i wallt golau wedi'i dywyllu gan y gwlyborwch. Yn un o bocedi'r pac roedd un siwmper weddol sych gan mai dyna'r boced oedd bellaf o'r dŵr wrth iddo gwympo. Gwisgodd hi, cyn tynnu'i sanau tamp yn ôl am ei draed gan geisio osgoi cyffwrdd â'r clwy. Gallai deimlo'r gwlân yn cydio yn y croen toredig. Ymbalfalodd yn y sach a chodi hen dun a'i agor. Cydiodd yn y matsis sych a cheisio twtio'r brigau yng ngrât y tân. Cyneuodd nhw a gwylio'r fflamau tenau'n cerdded ar eu hyd yn araf. Crynodd ac yna, trwy'r oerfel, fe gofiodd am ei lyfr. Neidiodd ei galon ac ymbalfalodd yn wyllt amdano. Agorodd y llyfr. Roedd pob tudalen yn wlyb. Rhegodd. Aeth i'w boced i gydio yn ei gyllell a mynd yn ôl at yr hen dun. Tynnodd ar y cordyn a'i raflo cyn torri hyd. Crogodd hwnnw rhwng bachyn ar bwys y drws a'r lle tân. Gweithiodd yn gyflym a'i ddwylo coch yn crynu. Yna, sgoriodd a rhwygo pob tudalen â min y gyllell boced, eu tynnu fel petalau o'r llyfr a phlygu eu cefnau dros y cordyn i'w sychu. Gweithiodd yn ddiwyd nes bod pob tudalen yn gloywi'n oeraidd yn y gwyll. Roedd hi'n nosi.

Roedd yr oerfel wedi ymgripio i bob rhan o'i gorff ac yn araf ymdreiddio i'w berfedd a'i ysgyfaint. Sylwodd fod yr aer yn cymylu. Y mwg yn dod yn ôl o'r hen le tân ac yn nadreddu i fewn i'r stafell. Dechreuodd beswch. Roedd ei lygaid yn llosgi. Aeth at y tân a syllu. Roedd rhywbeth yn y simne, yn hadel i'r mwg ddiflannu. Llanwodd y stafell â mwg. Rhegodd dan ei anadl eto cyn cydio mewn brigyn arall a chwalu'r tân, ei dynnu'n ddarnau er mwyn iddo gael oeri. Safodd wedyn, a'r brigyn yn ei law, yn syllu ar y mwg yn diflannu. Cydiodd yn yr hen fatras a'i daflu i lawr ar y gwely, gan godi cwmwl o lwch. Tynnodd yr hen sach gysgu wlyb o'i bac a'i thynnu drosto. Roedd ei ben yn drwm ac aeth ymdrechion y dydd yn drech nag ef. Gorweddodd, a cheisio cael ei wres. Sylwodd fod y gwynt yn dod i mewn o dan y drws gan oglais yr adenydd gwyn a grogai ar y cordyn. Sibrydai'r rheini'n dawel. Yna, aeth ei lygaid yn drwm a syrthiodd i gwsg anesmwyth.

5

Cymdogion

Roedd y twb dipio wrth ymyl y parc a hwnnw'n ddigon mawr i ddipio sawl mil o ddefaid yn rhwydd. Erbyn hyn, a'r niferoedd gymaint yn llai, gwaith bore'n unig oedd dipio'r ddiadell. Pwysai Jâms Peithyll yn hamddenol dros ochr y wal ddipio a'i sigarét gam wedi ei gwasgu rhwng ei ddau ddant gwaelod, a botwm uchaf ei grys ar agor, serch yr oerfel.

"Clywed bod lojer 'da chi 'de, Enoch?" Winciodd Jâms ar ei fab, a oedd yn codi ffon fugail o gefn y Land Rover. "Iesu, o'n i'm yn gwbod bod hi mor dynn â 'na arnoch chi..."

Roedd Robert yr un poerad â'i dad ond ei fod ychydig yn ysgafnach ei gorff a bôn ei ddwy fraich yn gryfach. Digon diniwed fu'r ddau yn ysgwyddo'r arch yn angladd Hannah, yn sefyll yn ufudd yn eu cotiau duon hir y tu allan i'r capel wedyn â'u pennau wedi eu plygu, ac ôl y grib a'r Brylcreem ar eu gwalltiau. Ond roedd hyn yn gyfle rhy dda i roi cic fach i Enoch. Pwysodd Enoch yn drymach ar ei ffon.

"Cofiwch chi bo ni wedi cynnig am y mynydd 'ma... yn enwedig gan fod neb ar ôl yr hen Isaac..." Poerodd Jâms ei sigarét i'r llawr gan wincio ar ei fab unwaith eto. Gwenodd hwnnw'n ôl.

Edrychai Enoch ar y ddau, a'i lygaid yn llonydd, gan wybod mai dim ond hanner gwên oedd y tu ôl i'w cynigion. Dros y blynyddoedd, wrth iddyn nhw brynu'r ddaear o gwmpas Hen Hafod, byddai'r cynigion yn dod yn amlach. Roedd uchelgais Jâms dros ei fab yn llosgi'n ffyrnicach wrth iddo yntau heneiddio, a'i ŵyr bach bochgoch yn tyfu'n gnapyn. Pwysodd Enoch yn drymach ar ei ffon.

"Un peth yw prynu llefydd, ondife? Ond peth arall yw talu amdanyn nhw…" Anelodd Enoch yr ergyd yn ôl gan wylio gwenau'r ddau yn sythu. Ar ôl hanner can mlynedd o brofiad, fe wyddai Enoch sut i'w trin. "A 'se chi'n ymroi at ddysgu'r cŵn defed 'ma'n well, fydde Isaac 'ma'n 'ych helpu chi nawr."

Gwenu wnaeth Jâms arno, gan wybod ei fod wedi aflonyddu'r hen ddyn, a throi i hysio'r defaid tuag at y dibyn.

Gwyliodd Enoch Robert yn gwasgu'r defaid dros eu hysgwyddau â'i ffon gan eu gwthio'n grwn o dan y dŵr llaethog. Byddai ambell ddafad yn neidio, ond byddai'n rhaid gwthio'r rhan fwyaf a'r rheini'n ymbalfalu am y ddaear sych a'u llygaid yn wyllt. Ac ar yr ochr arall, fe fydden nhw'n chwilio'u traed yn ddiolchgar cyn mynd i sefyll a chrynu, a'r dŵr gwyn yn diferu o'u gwlân.

Roedd Isaac wedi codi'n fore i gerdded y mynydd i gasglu'r defaid a drodd yn ôl. Chroesodd 'run gair rhyngddo a'i dad amser brecwast a dim ond cyfarth arno i alw yn y bwthyn a chael gwared ar y dihiryn wnaeth Enoch wrth i Isaac wisgo'i got ar bwys y drws. Doedd dim defaid wedi troi'n ôl ganddyn nhw ers blynyddoedd a theimlodd Enoch ei fochau'n poethi wrth feddwl am y peth. Fe wyddai hefyd fod Jâms a Robert yn eu helfen wrth weld pethau wedi mynd o chwith. Mynd yn ôl i'r Fainc Ddu wnaeth y defaid. Daeth Isaac o hyd iddyn nhw'n hwylus am fod y defaid yn brefu am eu hŵyn, a'r rheini'n brefu am eu mamau yn y parc dipio. Danfonodd y cŵn i'w casglu a'u gyrru ymlaen i lawr yr hen lwybr am yr eilwaith.

Roedd hi'n wlypach heddiw, a niwl y bore wedi bod yn araf yn codi. Byddai gwlân y defaid yn damp bore 'ma ond doedd hi ddim yn edrych fel glaw. Gwrandawodd Isaac ar gigfran yn clirio'i gwddwg uwch ei ben. Edrychodd amdani am eiliad ond roedd hi wedi diflannu i'r tawelwch. Roedd sŵn y dŵr yn drwch yn y mynydd yr amser hyn o'r flwyddyn. Codai ffynhonnau oer clir o'r ddaear fan hyn a fan draw. Dŵr a oedd yn llosgi cefn eich gwddwg â'i oerfel. Pan fyddai'n fachgen, byddai'n penglinio ac yn gwasgu cledrau ei ddwylo dros gegau'r ffynhonnau, yn siŵr y gallai atal y dŵr rhag llifo, ond teimlo ei gryfder yn cynyddu y byddai, a hwnnw'n ffrwydro trwy'i fysedd yn y diwedd. Cofiodd iddo gario cerrig, yn benderfynol, a'u gosod yng ngenau un ffynnon, ond ofer fu'i ymdrechion a'r dŵr yn newid ei gwrs gan dincial chwerthin am ei ben.

Ond fe ddysgodd ei nerth rhyw flwyddyn. Y tu allan roedd yr eira mawr yn dadleth a gorweddai ei fam ar y sgiw yn y gegin a'r dagrau'n llifo'n ddireolaeth. Dihangodd o'i lwybrau arferol a rhwygo drwy'r tirlun gan ddisodli creigiau anferth, plycio coed o'u gwreiddiau a symud pridd. Noethodd lonydd a golchi hen lwybrau'n glir o wyneb y mynydd gan wneud lle a fu mor gyfarwydd iddo yn ddierth unwaith eto.

Heddiw, roedd y defaid yn cerdded yn daclus ac Isaac yn rowndio'r mynydd tuag at y bwthyn. Safodd am eiliad i edrych arno. Doedd dim mwg yn dod o'r simne. Dim symudiad. Dim sôn am neb. Efallai ei fod wedi mynd o'r lle yn barod. Doedd dim cysur yno a doedd Isaac ddim wedi croesi'r rhiniog ers ei fod yn fachgen. Edrychodd ar yr hen bont grogi o un ochr y nant i'r llall. Roedd honno ochr uchaf i'r bwthyn, lle na allai'r gwynt ei siglo. Roedd honno hefyd yn dawel. Byddai ei dad a bois Peithyll ar fin bennu erbyn hyn ac fe fyddai'n rhaid iddo ddethol yr ŵyn. Gwell iddo fynd. Doedd neb yno. Roedd e'n siŵr nad oedd unrhyw un yno. Doedd dim rhaid iddo fynd gam yn agosach. Ar ôl dethol yr ŵyn byddai'n taflu'r cŵn i mewn i'r twb er mwyn eu cadw heb chwain dros y gaeaf. Cerddodd yn ei flaen gan chwibanu amdanynt.

Yn y bwthyn, roedd Owen yn dal i orwedd ar yr hen fatras. Roedd y gwres wedi fflamio trwy'i gorff gyda'r nos. Doedd ganddo ddim nerth i symud, ac roedd sŵn y dŵr y tu allan yn boendod iddo â'i geg mor sych. Gallai deimlo pob asgwrn yn ei gorff rhwng y pyliau o gysgu. Roedd chwys yn drwch ar ei dalcen ac yntau'n wyn a'i wefusau'n llwydaidd. Gwrandawodd ar y chwibanu yn y pellter yn diflannu, cyn i gwsg ei dynnu i'w grombil unwaith eto.

6

Magal

Roedd hi'n lleuad lawn, a'r golau'n cario sŵn brefu'r defaid yn waeth, rywffordd. Gwrandawodd Isaac ar y sŵn aflafar. Roedd ei dad yn pesychu drws nesaf. Dim ond yn y fan hyn y gallai Isaac gofio gorwedd. Yn y gwely bach yn ail stafell y tŷ. Pan symudon nhw o'r bwthyn i'r tŷ, rhannu gwely gyda'i fam-gu wnaeth e, a'i hen fam-gu wedi hen farw erbyn hynny. Cysgai dan gesail ei fam-gu yn gynnes o dan y garthen. Byddai'n dihuno weithiau yng nghanol y nos, a'r ddau'n chwys drabŵd, ac edrych arni'n cysgu, ei chroen mor wyn yng ngolau'r lleuad. Doedd ei dad a'i fam ddim wedi casglu digon o arian i wella'r to bryd hynny a byddai eira mân yn cael ei gario gan wynt cam i mewn o dan y slats, a'r rhew'n blodeuo'n araf mewn siapiau y tu mewn i'r ffenestri. Ei fam-gu fyddai'n codi gyntaf i agor y tân y byddai wedi ei fancio â lludw'r noson cynt. Hi fyddai'n gwneud bara te iddo wedyn, gan daenu'r menyn yn drwch ar y dafell a'r saim yn serennu ar wyneb y bowlen. A hi fyddai'n eistedd gydag e pan fyddai ei fam yn cael ei phyliau tywyll ac yn pallu siarad â neb am ddiwrnodau. A hi ymddiheurodd iddo pan ddaeth at y gwely hwn pan oedd e'n fachgen i'w gweld am y tro olaf. Ymddiheuro ei bod hi'n rhy hen i fod fwy o ddefnydd iddo. Fe gysgodd Isaac ar y sgiw ar bwys y tân nes mynd â hi i'r capel a bu'n fisoedd cyn iddo ddysgu sut i gysgu ar ei ben ei hun a'r gwely, yn sydyn, lawer yn rhy fawr.

Gwrandawodd eto ar y brefu. Cododd. Doedd dim cwsg ar ei gyfyl. Gwisgodd ei drowser a thynnu crys a siwmper dros ei fest. Oedodd am eiliad ar y landin i glywed ei dad yn pregethu am rywbeth yn ei gwsg, cyn cerdded ymlaen.

Dim ond yn y nos y gallai Isaac deimlo henaint y byd. Doedd dim lliw, a chysgodion y lleuad yn gallu gwneud i rywun ffwndro. Edrychodd i fyny i weld y ffurfafen yn pingo o sêr, pob un fel pigad o olau yn y tywyllwch. Roedd tywyllwch y mynydd yn berffaith a seren wib i'w gweld bob rhyw funud neu ddwy. Weithiau, byddai'n teimlo'n benysgafn wrth edrych i fyny, fel pe bai tywyllwch y byd yn barod i'w lyncu. Rhwbiodd ei ben a sadio'i hun cyn mynd i edrych yng ngât y lloc. Roedd yr ŵyn yn dal i frefu, a'u sŵn yn cario yn yr oerfel. Roedd popeth i'w weld yn iawn. Edrychodd wedyn i waelod Llechwedd Rhedyn cyn penderfynu mynd i edrych ar y maglau. Cydiodd mewn pâl a oedd yn pwyso ar bostyn gât y lloc cyn ei gorwedd ar ei ysgwydd a cherdded ymlaen.

Byddai'n gosod maglau'n ddiwyd bob mis Medi fel hyn, cyn i'r llwynogod gael cyfle i baru a chyn i'r wyna ddechrau. Roedd llwynog mynydd yn llai na chadno lawr cwm a barrug du dros ei flew i gyd. Byddai'n ffyrnicach ac yn fwy didrugaredd hefyd. Gwelodd un unwaith yn cnoi trwy ei goes yn grwn i gael dianc o'r weiren a dorrai i'w gnawd. Byddai Isaac yn adnabod eu llwybrau, yn gwylio ac yn dilyn eu symudiadau. Yn gweld y blewiach tywyll y bydden nhw'n ei adael ar ôl gwthio o dan ffens. Byddai'n gosod magal yn y fan honno wedyn ac yn llwyddo i'w dal yn ddigon aml. Defnyddio eu natur yn eu herbyn y byddai'n ei wneud mewn gwirionedd. Petai'r llwynog yn llonyddu ac yn dofi, peth hawdd fyddai iddo dynnu ei goes yn glir. Ond gwylltio a wnâi, gwylltio a thynnu a halio nes bod y weiren yn gwasgu a gwasgu i'w gnawd. Byddai'n trigo wedyn, o siom fel arfer, ac fe fyddai'n well gan Isaac hynny o lawer na gorfod eu lladd drwy eu curo â'r bâl.

Cyrhaeddodd y llechwedd a cherdded yn dawel ar hyd y ffens. Cododd arogl mygllyd y rhedyn i'w ffroenau. Doedd dim un symudiad, dim tynnu na styrnigo. Doedd dim llwynog byw yma beth bynnag. Roedd y fagal gyntaf heb ei chyffwrdd a'r ail wedi ei thynnu'n dynn ond roedd beth bynnag fu yno wedi dianc. Tynnodd Isaac y peg o'r ddaear a'i ailosod. Cododd y bâl unwaith eto a cherdded ymlaen nes iddo glywed siffrwd. Safodd. Sŵn anadlu. Trodd ei ben. Daeth sŵn anadlu ar y gwynt. Sŵn gwenwyno. Roedd pinnau bach yn codi'n araf i fyny asgwrn ei gefn. Cynyddodd y sŵn. Sŵn dychrynllyd yn llenwi'i ben. Oerodd ei gorff a diflannodd ei nerth cyn iddo droi ar ei sawdl. Camodd tuag at y bwthyn a orweddai dan y llechwedd gan gario'r bâl dan ei fraich. Roedd pob synnwyr wedi'i finiogi gan y gwyll. Roedd e'n siŵr mai o'r bwthyn y deuai'r sŵn. Safodd a gwrando eto, gan geisio rheoli ei anadlau. Yr un sŵn eto. Ysgyfaint yn ymladd. Camodd yn gynt a chroesi'r bont grog, a phob cam yn disodli'r tawelwch. Cwympodd ei ysgwyddau a dechreuodd drotian wrth agosáu at y drws. Safodd, a'i wynt yn ei ddwrn, yn edrych ar y bwthyn tywyll. Roedd y sŵn yn cynyddu. A'i galon yn curo'n drwm yn ei frest fe wthiodd y drws. Doedd hwnnw ddim yn symud. Ysgwyddodd ef â'i holl bwysau cyn iddo ildio gan wasgaru rhyw bapurau gwynion ar hyd y llawr llechi. Safodd Isaac, a'r golau llachar y tu ôl iddo yn taflu siâp ei gysgod yn fach, fel plentyn, ar y llawr. Trodd i edrych, a'i galon yn corddi.

Yno, ar y gwely, roedd bachgen ifanc. Ei wefusau'n las a'i lygaid wedi rowlio'n ôl yn ei ben. Rhedodd gwaed Isaac yn oer. Gollyngodd y bâl yn drwm ar y llawr a rhedeg ato. Siglodd ef, a hanner agorodd y bachgen ei lygaid.

"Dihuna! Be sy'n bod arnot ti? Dihuna!"

Roedd ei anadl yn sur. Rhedodd Isaac i'r gegin a chydio

mewn cwpan enamel, yna aeth allan drwy'r drws a phenglinio ymysg y brwyn i godi cwpaned o ddŵr oer. Daeth yn ôl a chodi pen y bachgen. Gwasgodd y cwpan i'w wefusau. Roedd yn ceisio yngan rhywbeth a'r dŵr yn diferu i'w frest. Gallai Isaac deimlo oerfel ei gnawd trwy ei ddillad. Tynnodd ei got gynnes â'i ddwylo'n crynu, a'i gosod hi dros y bachgen. Gorweddodd y bachgen yn ôl. Camodd Isaac o'r golau, ei ddwylo'n ddiymadferth wrth ei ochr, gan wrando ar yr anadlau bas. Syllodd ar y bachgen llwyd a'r gwallt melyn yng ngolau'r lleuad dwyllodrus.

7

Twymyn

ROEDD Y WAWR ym mis Hydref bob tro'n wan, fel pe na bai ganddi'r nerth i godi ei phen uwchben y mynydd. Eisteddai'n ffaeledig ar y gorwel yn lledaenu ei lliwiau'n araf. Roedd y golau wedi colli cynhesrwydd melaidd mis Medi ac yn duo hadau a llwydo'r tir garw. Eisteddai Enoch yn y gadair fach yn gwylio brest y bachgen ifanc yn codi a disgyn yn dawel. Roedd ei groen i'w weld yn sych a'i wallt yn glynu at ei ben erbyn hyn gan hen chwys. Goleuodd ychydig o'r golau y llwch a hongiai yn yr aer am ychydig.

Pan welodd Enoch y bachgen i ddechrau, fe'i sodrwyd i'r llawr. Camodd Isaac tuag at y drws a sefyll yno mewn tawelwch yn edrych ar ei dad yn symud yn agosach ac yn agosach at y gwely. Byddai'n rhaid iddyn nhw ffonio'r doctor. Beth petasai rhywbeth yn digwydd iddo? Gallai Enoch glywed llais ei fab yn y cefndir ond yr unig beth y medrai ei weld oedd wyneb y crwt. Doedd Isaac ddim yn gwybod ei enw. Doedd dim sôn am bapurach na dim byd fel'ny. Dim ond ychydig o ddillad ac arian. Tamaid o fwyd. Dim byd arall. Allai e ddim â chofio pwy ar y ddaear y buodd e'n siarad â nhw yn y dafarn ar ôl yr angladd. Cyfarthodd Enoch arno i fynd i nôl coed tân o'r tŷ a brwsh i'w roi yn y simne i glirio'r hen nythod oedd yno, a thra'i fod e wedi mynd fe dynnodd Enoch un o'r stolion tuag at y gwely ac eistedd. Gwrandawodd ar yr anadlau dychrynllyd cyn pwyso ymlaen a theimlo talcen y bachgen. Roedd Enoch wedi gweld hyn bŵer o weithiau o'r blaen, a'r hen bobol yn arfer sôn am drueiniaid oedd wedi starfo at yr asgwrn yn oerfel y mynydd. Byddai'n rhaid aros i'r gwres dorri.

Daeth Isaac yn ei ôl a chlirio'r simne. Casglodd rai o'r papurach oddi ar y llawr a'u defnyddio i gynnau'r tân. Daeth â phecyn o ganhwyllau hefyd o'r tŷ a charthen o'i wely yntau. Wrth i'w dad daenu honno am y bachgen, fe gyneuodd Isaac y canhwyllau. Doedd dim trydan yn y bwthyn bach, na ffôn. Roedd Enoch a Hannah wedi symud oddi yno i'r tŷ cyn bod y fath bethau'n bwysig.

Eisteddodd y ddau wedyn yn ei wylio tan y bore, Enoch wrth y gwely ac Isaac wrth y tân. Rhoddai Enoch ddŵr iddo yn awr ac yn y man ac fe fyddai'n agor ei lygaid gwag ac yn syllu arno cyn eu cau unwaith eto. Thorrodd dim un o'r ddau air yn oriau'r tywyllwch ac edrychodd Enoch ddim ar ei fab nes i'r wawr dorri. Yna, fe ddechreuodd Enoch aflonyddu. Awgrymodd ei fod yn amau bod y bachgen rywfaint yn well ac y gallai Isaac fynd yn ôl at ei waith. Syllodd hwnnw ar ei dad am ychydig cyn nodio a mynd yn dawel am allan.

A dyna fu'r drefn wedyn am ddiwrnodau – Enoch yn bugeilio'r gwely tra byddai Isaac yn gwneud hyn a'r llall o gwmpas y ffald neu'r tŷ. Byddai Isaac yn aros wedyn ar bwys y tân i'w dad ddod yn ôl o'r bwthyn gyda'r hwyr. Weithiau, byddai Isaac yn diflannu i lawr i'r dafarn ac yn eistedd yno yn magu'i ddiod am oriau mewn tawelwch, cyn cerddded am adre heibio i'r bwthyn gan wylio'r golau gwan anghyfarwydd yn y ffenest. Heddiw, a golwg flinedig arno, fe fynnodd Enoch fynd at ei orchwyl unwaith eto, er i Isaac geisio ei berswadio i orffwys. Gwyliodd Isaac e'n mynd, a'r blinder yn amlwg ar ei wyneb yntau hefyd.

Bu Enoch yn eistedd mewn lletchwithdod i ddechrau, a'i gefn yn syth a'i law ar ei ffon. Ond wrth iddo ddod i adnabod yr wyneb trwy'r holl oriau o syllu arno, fe ymlaciodd ei ysgwyddau, a theimlai ei fod yn adnabod pob modfedd ohono. Roedd ei wallt fel lliw yr hesg yn yr hydref a hwnnw wedi ei sychu'n olau gan y gwynt. Doedd Enoch erioed wedi gweld croen mor angylaidd o wyn ac roedd ei ddwylo'n feddal ac yn ddifrycheuyn. Y bore 'ma, roedd ei anadlau wedi tawelu ac roedd Enoch yn siŵr ei fod yn cysgu'n esmwythach, rywffordd. Sylwodd fod ychydig o liw yn ôl yn ei fochau ac roedd ei frest yn llai swnllyd. Gwrandawodd Enoch ar sŵn ei anadlau yn cymysgu â chôr Nant y Clychau. Roedd yna ryw wrid ar ei groen hefyd, rhyw olwg fywiocach ar ei wyneb. Bron na allai Enoch glywed ei galon yn cryfhau, y cryndod yn diflannu a'r gwres yn oeri. Tynnodd ei law oddi ar ei ffon ac estyn allan am ei dalcen.

"Lle ma nhw?"

Tynnodd Enoch ei law yn ôl. Roedd e'n edrych arno a'i lygaid yn glir. Roedd y rheini'n las.

"Lle ma nhw?" gofynnodd eto, gan geisio codi ychydig ar ei benelin.

"Pwy?" meddai Enoch gan synnu ar sŵn ei lais yn y tawelwch.

"Y papur, y papure?" Torrodd llais y bachgen.

Cododd Enoch ar ei draed gan deimlo rhyw letchwithdod yn dod yn ôl yn sydyn. Roedd ei wyneb yn edrych mor anghyfarwydd wrth iddo yngan geiriau. Yn grychau o gwmpas ei geg.

"Be chi moyn?" gofynnodd, a'i lygaid yn ceisio sodro eu golwg ar Enoch.

Camodd Enoch yn ôl.

"Pwy y'ch chi?"

Roedd ei lais yn annisgwyl hefyd. Yn glir. Yn siarp.

"Buoch chi'n sâl," esboniodd Enoch.

Cododd y bachgen i hanner eistedd a theimlo'i ben â'i law. Syllodd tua'r drws lle crogai'r cordyn yn hanner gwag.

"Lle ma nhw?"

Cydiodd Enoch yn dynnach yn ei ffon gan synhwyro'r cryfder yn llifo'n ôl i'r corff eiddil. Cododd Owen a rhoi ei draed ar y llawr. Herciodd draw at y tân a'r clwy dan ei droed yn dal i dynnu.

"Llosgodd… O'dd rhaid cynnu tân…" meddai Enoch.

"Beth?"

Trodd i edrych ar Enoch cyn edrych i lawr ar y papurach ar y llawr.

"Na."

Syrthiodd ar ei bengliniau'n sydyn cyn ymbalfalu drwy'r tudalennau. Roedd rhai'n faw i gyd ac arnynt ôl y mynd a'r dod a fu i ddrws y bwthyn dros y dyddiau diwethaf. Cododd a throi i wynebu Enoch unwaith eto a rhyw ffyrnigrwydd yn ei lygaid. Camodd Enoch yn ôl a syllu arno, cyn i ryw chwildod ddod ar draws llygaid y bachgen. Rhoddodd ei ddwy law am ei ben cyn cwympo'n grwn i'r llawr, gan daro'i dalcen yn erbyn y bwrdd wrth iddo ddisgyn. Symudodd Enoch tuag ato a'i godi, fel y gallai, i eistedd wrth y bwrdd. Roedd y ddau'n chwythu ar ôl yr ymdrech a llifai gwaed yn gynnes dros foch y bachgen. Tynnodd Enoch hances o'i boced a'i wasgu ar y clwy ar ei dalcen.

"Na, na. Galla i…"

Doedd gan Owen mo'r nerth i gydio yn yr hances ac arhosodd yno, a'r dieithryn yn dal y defnydd i'w ben. Gwyliodd Enoch yr hances yn troi o las golau i goch.

"Chi ise fi hôl…?"

"Sdim ise chi neud dim byd." Roedd anadlau Owen yn

drwm a'r chwildod o fod wedi gorwedd cyhyd wedi ei wanhau. "Chi wedi neud digon yn barod."

Synhwyrodd Enoch y cyhuddiad yn ei lais a chamodd yn ôl gan adael i fysedd y bachgen wasgu'r hances at ei groen. Gwyliodd Enoch ef, a chyhyr ei ên yn tynhau.

"Wel, 'na fe 'te," meddai, gan gerdded am y drws.

Roedd y tân yn tasgu, fel pe bai'n ceisio atgoffa Owen o'r papurau colledig. Cydiodd Enoch yn y glicied. Yna, clywodd lais y tu ôl iddo.

"Arhoswch…"

Oedodd Enoch am ennyd. Roedd y gwaed yn cymylu golwg Owen. Ddaeth dim geiriau. Dim byd, ac yna fe gaeodd Enoch y drws ar ei ôl.

Fel yr oedd y drefn bob blwyddyn, roedd yr hyrddod newydd gael eu troi allan i'r mynydd ac fe gerddodd Isaac i'w gweld wrth eu gwaith. Cerddodd heibio i'r bwthyn gan geisio peidio ag edrych arno, gan wybod bod ei dad a'r bachgen y tu mewn. Byddai natur yr hyrddod wedi bod yn codi dros y misoedd diwethaf a hwnnw bron â mynd yn glefyd arnyn nhw. Dim ond gorffwys roedden nhw wedi bod yn ei wneud ers y Nadolig cynt ac erbyn hyn roedden nhw'n awchu am eu gwaith. A'u gwarrau yn gwrs, roedden nhw'n cerdded yn lartsh ar y mynydd, yn rowndio'r defaid dro ar ôl tro, yn aros eu cyfle. Byddai'n rhaid gofalu am eu cyflwr gan eu bod yn gweithio gymaint nes iddyn nhw golli gwedd. Cerddodd Isaac, gan deimlo'r gwaith yn falm iddo. Ymlaciodd ei ysgwyddau ychydig ac anadlodd yr aer oer. Trodd ar bwys Pen Cripie cyn sefyll i weld corff gwyn ar lawr. Weithiau, byddai'r hyrddod yn britho o dymer. Yn cylchu ei gilydd. Yn sefyll wedyn â'u llygaid gwag yn rhythu ar ei gilydd, yn mesur maint a chryfder y llall. Yna, fe fyddent yn rhuthro benben am ei gilydd. Byddai'r glec yn atseinio ar hyd y mynyddoedd. Yn hen sŵn. Yn hen ymladd. Deuai eu hanadl yn waed i gyd ar hyd eu hwynebau gwynion. Byddai ei dad yn hoffi troi hwrdd moel allan gyda nhw bob blwyddyn hefyd. A hwnnw'n methu ymladd, fe fyddai'n rhaid iddo gilio i ben pella'r mynydd. Byddai hwnnw'n siŵr o ddal rhai defaid yn y fan honno. Ond weithiau, ymysg y rhai cyrniog, byddai'r gwrthdaro'n ormod, a byddai un yn gorwedd yn llonydd yn y grug, wedi torri ei wddwg. Cerddodd Isaac tuag ato a syllu i lawr arno. Roedd ei lygaid wedi pylu. Ei dymer wedi ei dawelu o'r diwedd. Rhyw bryfed yn cronni wrth ei geg. Roedd yn ei breim. Cododd Isaac ei ben i edrych i lawr y mynydd tuag at y bwthyn, a'r hwrdd trig wrth ei draed. Teimlodd yr oerfel yn chwipio heibio iddo. Plygodd wedyn, tynnu ei gyllell boced o'i drowser a llifio'r cyrn oddi ar gorff yr hwrdd. Llifiodd nes iddo gynhesu ychydig, cyn gadael yr hwrdd heb ei goron ar lawr. Byddai'n rhaid dod yn ôl eto i godi'r corff. Roedd hwnnw'n llawer rhy drwm i'w gario. Trodd wedyn, gan deimlo'r gaeaf yn agosáu, a chario'r cyrn tuag at y tŷ.

8

Tudalen lân

GWASGODD OWEN BEN-ÔL y basn enamel i'r eirias. Gwyliodd y swigod yn dechrau chwarae yng ngwaelod y dŵr. Ar ôl i Enoch adael, fe eisteddodd am amser hir yn dal yr hances nes i'r clwy beidio â gwaedu. Sylwodd ar y llythrennau oedd wedi eu brodio'n daclus i gornel hwnnw – E.J.J. – cyn codi a mynd i'r gegin gul. Yno, fe gydiodd mewn tun o gawl cyn sylweddoli nad oedd ganddo declyn i'w agor. Treuliodd awr gyfan yn eistedd ar y llawr o flaen y tân a'r tun rhwng ei goesau yn ceisio ei agor â'i gyllell boced. O'r diwedd, a'i drawiadau'n mynd yn fwy gwyllt, a'r dagrau'n dechrau pigo corneli ei lygaid, fe lwyddodd i greu dau dwll ynddo, un godderbyn â'r llall, a'i arllwys allan fesul diferyn i'r cwpan enamel. Rhoddodd hwnnw yn ochr y grât, a oedd yn ddigon i'w gynhesu ychydig. Aeth yn ôl i'r gwely ar ôl ei yfed, ac ymdrech y bore wedi dwyn ei nerth i gyd. Gorweddodd ar ei gefn yn gwylio'r glaw mân drwy'r ffenest a gwrando ar siffrwd yr ystlumod yn y llofft grog.

A dyna fu patrwm y diwrnodau canlynol – codi rhyw ben yn y prynhawn, ymladd â'r tuniau a chysgu. Weithiau, byddai sŵn y nant yn treiddio i'w gwsg ac yntau'n dihuno'n chwys drabŵd. Ond erbyn heddiw, roedd y gwres wedi llacio ei afael ynddo ac yntau'n barod i folchyd. Gwasgodd y fflanel i'r dŵr cynnes yn y basn a'i wylio'n stemio yn oerfel yr aer. Gwrandawodd ar y dŵr yn diferu'n ôl i'r basn cyn golchi ei dalcen a'i wddwg. Daliodd y defnydd i'r clwy ar ei dalcen a hwnnw'n llosgi. Caeodd ei lygaid mewn poen. Cododd hen waed du ar y defnydd a chymylodd y dŵr glân. Roedd ei wallt yn drwch o lwch ond doedd ganddo ddim awydd codi'r basn dros ei ben yn grwn. Roedd ei ddillad wedi sychu erbyn hyn ac er eu bod yn arogli o damprwydd ar ôl cael eu gadael mor hir heb eu crasu, roedden nhw'n sych, a dyna oedd yn bwysig. Roedd wedi rhoi'r tuniau a'r bisgedi sychion yn y gegin gefn. Meddyliodd y bydden nhw'n ddiogel yno, nes iddo weld bod y llygod bach wedi bod wrth y bisgedi fin nos ac wedi eu tynnu'n friwsion i gyd i'r llawr. Daeth o hyd i hen focs tun a'u gorchuddio â hwnnw. Roedd wedi nodi bod siop yn y garej pan basiodd y bws post ac fe wyddai y gallai gerdded yno'n hwylus mewn prynhawn pan gâi ei nerth yn ôl. Teimlodd ei groen yn oeri yn ei wlypter, gwasgodd y dŵr o'r defnydd a hongian y fflanel dros y cordyn i sychu. Roedd mwy o ddillad ar hwnnw na phapurau erbyn hyn.

Crynhodd y papurau oedd ar ôl ar y bwrdd a'u cario tuag at y matras cyn eistedd a'u darllen a'u hailddarllen. Ceisiodd wneud synnwyr o'r geiriau brau ond roedd y dŵr, y llwch a'r tamprwydd wedi eu cymylu. Syllodd am oriau gan geisio eu trefnu a'u haildrefnu nes iddo fedru teimlo curiad ei galon yn y clwy ar ei ben. Yn sydyn, cododd rhyw rwystredigaeth drwyddo a thaflodd nhw'n ôl ar y llawr. Eisteddodd wedyn a'i enaid yn wan yn y tywyllwch a'r tawelwch. Roedd pob cyhyr yn ei gorff wedi ymlâdd, ei feddwl yn y niwl a'i dalcen yn llosgi o'r newydd.

Doedd ganddo ddim cartref go iawn i fynd yn ôl iddo. Mae'n siŵr na fyddai'r rhai a rannai dŷ ag ef wedi sylwi ei fod wedi gadael hyd yn oed, a hwythau'n dod ar draws ei gilydd mor anaml. Gallai fod wedi mynd i rywle ond eto roedd e mor siŵr ei fod wedi cael ei alw yma. Roedd e wedi blino. Wedi blino gorwedd ar ddi-hun yn y stafell fach yn llawn golau oren yn gwrando ar sŵn y ceir yn gwasgu ar ei ben. Wedi blino aros i'r geiriau yn ei ben droi'n synnwyr.

Gwrandawodd ar y coed yn y tân yn poeri a thasgu. Roedd nodiadau ei nofel wedi mynd. Ac fe wyddai hefyd na ddeuai'r geiriau'n ôl, ddim yr un fath. Ddim yn yr un drefn. Roedd y tân yn taflu cysgodion ar hyd yr hen stafell, a'r cerrig a oedd wedi eu gosod driphlith draphlith ar ben ei gilydd fel petaen nhw'n magu wynebau yn yr hanner golau. Teimlodd y welydd yn cau amdano ac yn yr hanner golau meddyliodd am lygaid yr hen ddyn pan adawodd ef y diwrnod hwnnw. Cododd rhyw chwithdod ynddo i gynhesu ei fochau. Roedd rhywbeth yn ei olwg llonydd oedd yn gyfarwydd ond eto'n anghyfarwydd iddo. Cododd. Roedd y glaw ysgafn wedi peidio am ychydig. Agorodd y drws. Llenwodd ei ysgyfaint ag aer gwynt y mynydd; gallai ei flasu ar ôl bod yn yr hen fwthyn cyhyd. Blas brwyn, blas dŵr, blas mawn. Llenwyd ef â'r persawr cynnil. Camodd ymlaen ac edrych ar y clawdd o ddrain a redai'n un rhibyn o un ochr y bwthyn i gesail casgliad o goed gerllaw.

Gorweddai'r dderwen glaf yn y sietin a'r ffawydden yn tyfu ar ongl erchyll o'i pherfedd. Roedd dŵr y nant yn llifo'n dawel o gyflym heddiw a'r glaw wedi'i chwyddo ychydig. Roedd hi'n nosi. O'r fan hyn, gallai weld i lawr i'r tir isel. Gwelodd fwg yn codi'n un golofn lwyd o simne'r tŷ yn y pellter. A'r aer yn llonydd, doedd dim cwmwl i dorri ar undonedd yr awyr. Gwrandawodd ar y dŵr.

Safodd yn dawel yn edrych ar ei dudalen lân. Hon yr oedd wedi bod yn edrych amdani cyhyd. Yna, taflodd tylluan ebychnod i'r tywyllwch yn y coed. Fyddai e ddim ar ei ben ei hun. Gallai wrando ar y tywyllwch nes y clywai rywbeth. Doedd dim dewis ganddo. Dim nerth i symud oddi yma. Teimlodd ei hun yn cael ei lenwi gan y mynydd a throdd yn ôl am y bwthyn.

Caeodd y drws a chyn iddo ailfeddwl, fe gasglodd y papurach oedd yn wasgaredig ar y llawr a'u bwydo i fflamau awchus y tân. Gwyliodd y papurau yn cyrlio ac yn llwydo wrth i'w hymylon droi'n wreichion a diflannu gyda'r mwg. Syllodd yn y tawelwch gan deimlo gwres y geiriau ar ei wyneb. Roedd ei ddwylo'n crynu. Yn yr oerfel y tu allan, sgrechiodd y dylluan unwaith eto cyn agor ei hadenydd golau yn barod am helfa newydd.

9

Ffon

YN Y GAEAF byddai Enoch yn torri prennau ar gyfer ei ffyn. Rhaid oedd aros nes bod y gaeaf wedi cael gafael ar y mynydd a'r sudd gwyrdd ar ei isaf. Byddai'n cerdded y cloddiau wrth odre'r mynydd wedyn ar bwys y tir mwyn yn darllen y sietin. Gwnâi'r gelynnen a'r onnen y tro ond y gollen y byddai'n ei defnyddio ran amlaf am ei bod hi'n ysgafn ac yn gryf, a chlymau'n brin ynddi. Byddai'n chwilio am y prennau gweddol syth wedyn cyn eu torri a'u clymu mewn bwndeli o ddeg â chordyn beinder a'u cario ar ei gefn yn ôl i'r ffald. Yn y fan honno, byddai'n eu gosod yn un o'r siediau o dan hen sincen i sychu am ryw flwyddyn cyn eu sythu. Cerddodd Enoch am y tir mwyn a'i lif yn un llaw a'i ffon yn y llall.

Ffon o ddraenen ddu y byddai e'n ei chario. Roedd hi'n eistedd yn gyfforddus yn ei law a'r pren wedi'i bolisio'n sglein tywyll dan gledr ei law dros y blynyddoedd. Dim ond un ffon o'r ddraenen ddu roedd wedi llwyddo i'w chael erioed. Roedd pren y goeden dywyll yn tyfu'n glymau gwyllt a'r drain yn britho'i rhisgyl i gyd. Byddai unrhyw ganghennau yn nadreddu dros ei gilydd gan droi ar onglau annisgwyl. Pan oedd yn blentyn, byddai ei fam yn ei siarsio i gadw draw o'r drain duon gan ddweud straeon wrtho am un o'r hen bobol a gafodd ddraenen yn ei fys ac a fu farw wrth i wenwyn y goeden ledaenu trwy'i waed. Coed y gwrachod y byddai hi'n eu galw ond byddai Enoch yn eu hastudio, yn aros yn eiddgar bob blwyddyn i weld blodau cynta'r gwanwyn yn ffluwch am eu pennau. Ac yna, flynyddoedd yn ddiweddarach, pan oedd Isaac yn rhyw larpyn tair ar ddeg oed, fe'i gwelodd hi. Hyd o bren yn codi o'r ddaear a honno, er ei bod yn droeon ac yn glymau, yn ddigon hir. Cafodd ei amynedd ei ad-dalu. Bu'n rhaid i Isaac ddal canghennau'n ôl er mwyn i'w dad gael gwthio i ganol y drysni i'w thorri, ond cafwyd hi yn y diwedd a chariodd Enoch hi'n ôl am y sied i'w sychu.

Roedd Isaac bron yn un ar bymtheg erbyn i Enoch ddechrau gweithio arni, am fod pren tywyll yn anoddach i'w sychu na phren golau. Ei chynhesu â stêm wnaeth e, cyn ei chlampio yn y feis. Gweithio arni'n araf, ei chynhesu a'i sythu. Gweithiodd arni nes iddi galedu, nes i'r pwysau oedd arni fynd yn ormod iddi a hithau'n gorfod sythu ei chefn a gadael ei natur droellog ar ôl. Gwasgu'r gwyro allan ohoni, nes ei bod yn hollol, hollol syth.

Bu Isaac yn ei wylio i ddechrau, yn eistedd yn dawel yn y sied dywyll yn gwylio'i dad â'i gefn wedi crymu wrth iddo wasgu'r natur o'r pren. Ond aeth gwres y stêm a'r gwasgu yn ormod iddo a dihangodd allan i'r ffald, yn falch o gael rhyddhad. Anadlodd yr aer oer ac aeth am dro i'r mynydd.

Aeth Enoch ati wedyn i rwbio'r ddolen yn llyfn a'i sgleinio ag olew i ddod â lliw y pren i'r amlwg. Roedd hwnnw'n codi'n rhyw liw gwritgoch tywyll fel hen waed.

Cerddodd Enoch ymlaen. Byddai'n cofio, ers llynedd, pa goed fyddai'n debygol o fod â phrennau'n barod. Ei dad yntau oedd wedi dangos iddo sut roedd torri prennau pan oedd e'n fachgen. Dilyn hwnnw a wnâi, a'i wylio'n dewis a dethol. Dangos iddo wedyn sut roedd sythu a cherfio ffyn cryfion ar gyfer eu bachu am yddfau defaid neu rai ysgafnach, mwy smart ar gyfer y mart. Dangosodd wedyn sut roedd darllen pren a cherfio trowtyn. Gosododd Enoch lein yn Nant y Clychau wedyn i ddal brithyll er mwyn cael ei beintio'n gywir. Anghofiodd amdano wedyn ar ôl lliwio'r pren yn lliwiau'r nant a rhoi smotiau hufen ar ei gefn. Cafodd fonclust gan ei fam pan ffeindiodd honno'r pysgodyn yn drewi o dan ei wely bythefnos yn ddiweddarach. Erbyn iddo golli ei dad i lid yr ysgyfaint, ac yntau'n ddim ond bachgen, roedd yn medru cerfio ci defaid â'i bawen flaen i fyny a'i glustiau ymlaen yng nghanol marcio dafad neu ffesantyn, a'r coler coch yn syllu'n lartsh.

Hannah aeth ag un i'r sioe leol flynyddoedd yn ddiweddarach heb ddweud wrtho. Roedd hi'n gwenu pan arweiniodd ef i'r babell wen, gynnes ar y cae a dangos y rosét goch iddo. Coethi wnaeth e, a chochi. Pallodd siarad â hi'r holl ffordd adre, ond ddywedodd e ddim byd chwaith pan aeth ffon arall ar goll ddeuddydd cyn sioe'r sir.

Tyfai'r coed cyll yn gyflym ar y tir mwyn. Gwelodd hyd deidi a cherddodd amdani. Cydiodd yn ei bôn a'i siglo. Cododd cwmwl o adar bach o'i gwmpas gan ehedeg yn gleber uwch ei ben. Roedden nhw wedi bod yn bwydo yn y llwyni. Torrodd y pren, a sŵn yr ehedeg yn dal i atseinio yn ei glustiau. Symudodd ymlaen wedyn gan dynnu a thorri yn ei dro.

Unwaith, bu'n rhaid iddo fwrw Isaac yn ei goesau â'r ffon. Pan oedd e'n rhyw ddwy ar bymtheg oed. Roedd Enoch wedi gofyn iddo droi'r hyrddod allan at y defaid ond roedd yntau â rhyw syniadau am wyna'n hwyrach. Fe ddywedodd wrth ei dad ei fod wedi cerdded yr hyrddod i'r mynydd ond doedd e ddim. Pan gafodd Enoch afael ynddo, bu'n cecran am hyn a'r llall. Teimlodd Enoch ei bresenoldeb am y tro cyntaf. Roedd e wedi tyfu'n gryf ac yn sgwâr ac am eiliad, safodd o flaen ei dad yn styfnig. Teimlodd Enoch y gwres yn codi i'w frest a chyn iddo wybod, fe glatshodd ei fab ar draws ei goesau gyda'r ffon nes i hwnnw gwympo ar ei bengliniau.

Cododd Isaac ei lygaid mewn siom ac edrychodd Enoch

arno a'i frest yn tynnu. Rhedeg i'r mynydd wnaeth e, a Hannah yn sefyll yn y drws â dagrau yn ei llygaid. Trowyd yr hyrddod allan i'r mynydd ac edrychodd Isaac ddim i'w wyneb am wythnosau. Disgynnodd tawelwch fel trwch o eira ar y tŷ. Ond roedd yn rhaid ei droi'n ôl. Fe wyddai Enoch mai yn ifanc roedd plygu sietin.

Daeth sŵn anghyfarwydd. Trodd Enoch ei ben. Sŵn taro. Sŵn taro morthwyl. Plygodd i gasglu'r prennau wrth ei draed a thorri unrhyw frigau oddi arnynt â'r llif fach. Roedd sŵn y morthwyl yn parhau. Tynnodd y cordyn beinder o'i boced a chlymu'r bwndel bach ar y gwaelod, yn y canol ac ar y pen er mwyn eu cadw cyn sythed â phosib. Cododd nhw ar ei ysgwydd. Dechreuodd gerdded yn ôl tuag at Lechwedd Rhedyn.

Safodd am eiliad ar ochr y llechwedd ac edrych i lawr ar y bwthyn. Gallai weld ffigwr ar y to. Ysgol yn pwyso ar y wal. Roedd y bachgen yn cywiro'r to. Yn gosod slaten neu ddwy yn ôl i gau'r gwynt a'r glaw allan. Roedd clec y morthwyl ar yr hoelion yn atseinio ar draws y gwacter rhwng y ddau. Arhosodd Enoch am eiliad yn pwyso'n drwm ar ei ffon cyn gwenu a throi, gan gario'i faich tuag adre.

10

Naddu

ROEDD ISAAC WEDI cymryd at fwyta yn y dafarn. Roedd chwant Enoch am fwyd wedi pylu dros y blynyddoedd diwethaf ond roedd Isaac, a hwnnw'n ifancach, yn gweld eisiau bwyd ei fam. Ar ôl porthi'r defaid ar y tir uchel a gwneud rhyw fanion ar y ffald, byddai'n gyrru'r Land Rover i ben y lôn cyn cerdded i lawr am y dafarn. Byddai'n dod 'nôl tua deg wedyn, a'i gerddediad yn drwm ac yn anwadal, cyn gyrru'r filltir neu ddwy olaf yn ôl ar hyd y lôn. Heno, ar ôl dod adre, fe eisteddai'n dawel godderbyn â'i dad, yn ei wylio'n naddu hyd ffon. Roedd y radio'n canu grwndi yn y cefndir.

"Fe ddoth e i'r tŷ heddi." Cliriodd Enoch ei wddwg.

Cododd Isaac ei lygaid. Roedd ei ben yn drwm o wisgi a gwres. "Beth o'dd e moyn?" gofynnodd, a'i lygaid yn culhau.

Cario ymlaen i naddu wnaeth Enoch, a sŵn y gyllell yn uchel yn y tawelwch.

"Siarad ambwti'r rhent."

Cododd Isaac ei hun i eistedd yn sythach yn ei gadair.

"I beth sydd ise rhent? Wedoch chi wrtho fe i fynd o 'na gobeitho?"

Roedd gwres y tân yn cynhesu un ochr o wyneb Isaac a'r marcyn geni yn dechrau pinsio.

"O'dd ise co'd tân sych arno fe."

"Hy, o'dd, 'ynta!" Lledodd hanner gwên ar hyd wyneb Isaac wrth iddo feddwl am y bachgen yn crynu yn y bwthyn. "Gadwch y diawl i sythu, fydd e'm yn hir yn mynd o 'na."

Roedd y min yn nwylo Enoch yn codi rhisgyl y pren fel hen groen, gan adael cnawd amrwd golau ar ôl.

"Mae e 'di c'weiro'r to."

Dechreuodd gwên Isaac sythu. Roedd y tân yn poeri erbyn hyn. "O'n i'n mynd i..."

"Ond nest ti ddim, do fe?"

Teimlodd Isaac y gwres yn lledu trwy'i frest. "Ond wedoch chi wrtho fe, gobeitho, bod ni ddim ise fe 'ma."

"Holi am waith nath e, gweithio am ei rent."

"Beth yffarn? Be ma fe'n deall ambwti —?"

"Ma fe'n deall digon i g'weiro to..."

Roedd ei dad yn dal i naddu.

"Ma bach o fynd ynddo fe. Nele fe ddim drwg i ga'l un fel fe ar hyd y lle 'ma."

Cododd Isaac i eistedd a'i gefn yn syth.

"Wel, y'ch chi wedi newid 'ych cân, myn yffarn i. Bydde fe o'r ffordd. Weloch chi be nath e diwrnod hela, a do's dim digon o waith 'ma i un, dim rhagor..."

"Ma'n rhaid whilo gwaith..." meddai Enoch yn bwyllog.

Rhoddodd Enoch ei gyllell i lawr. Casglodd y naddion orau gallai, a'u taflu'n grwn i'r tân. Llyncodd hwnnw nhw gan lenwi'r stafell ag arogl y pren. Pwysodd hyd y ffon newydd ar gerrig y lle tân. Cydiodd yn ei ffon yntau wedyn a chodi. Gwyliodd Isaac e'n mynd. Yna, fe arhosodd Enoch am ennyd a throi.

"Falle bydd e'n bach o gwmni i fi ar hyd y lle 'ma..."

Cynhesodd Isaac drwyddo a meddyliodd am y nosweithiau a dreuliodd yn y dafarn. Gwrandawodd y ddau ar y cloc yn cerdded. Trodd Enoch a mynd am y stâr gan adael Isaac yn gwrando ar ei gamau'n pendilio i fyny'r grisiau.

Cododd Isaac a mynd am y gegin. Yno, o dan y sinc, roedd ganddo botel o wisgi. Byddai'n prynu ambell un yn y dafarn ac yn dod â hi adre dan ei gesail. Byddai'n ei chuddio wedyn o dan y sinc, y tu ôl i hen glytiau, lle na fyddai ei dad yn ei gweld. Roedd potel o wisgi ar y ddreser. Byddai honno'n cael dod i lawr pan fyddai Jâms yn dod heibio i werthu raffl y cŵn defaid neu pan fyddai rhywun yn galw ar ei fam a'i dad, ond fe fyddai hi'n para o un flwyddyn i'r llall. Byddai ei fam a'i dad yn cloncan hyd rhyw naw o'r gloch, ac wedyn byddai ei fam yn codi'n hamddenol i weithio te. Fel hyn, byddai eu hymwelwyr, a fyddai'n barod i adael, yn aros yn hirach a hwythau'n cael mwy o hanes. Arllwysodd Isaac wydraid iddo'i hun cyn mynd yn ôl i eistedd ymysg llwch y naddion ar bwys y tân. Roedd y *bitter* yn y dafarn wedi trymhau ei gorff a doedd ei feddyliau ddim yn glir. Doedd neb yn y dafarn yn cofio pwy ddywedodd am y bachgen. Doedd neb yn cofio'r sgwrs. Byddai John Gellideg yno bob nos ar ôl gorffen porthi ac fe fyddai Daniel Coedllys yno byth a beunydd. Ond doedd neb yn cofio dim. Chwerthin am ei ben wnaethon nhw, nes bod bochau Isaac yn llosgi a'i berfedd yn corddi. Llyncodd y wisgi ar ei ben. Roedd y diawl yn ddigon ewn i ddod i'r bwthyn, dechrau potsian ac wedyn dod i'r tŷ i holi am waith.

Rhoddodd y gwydr gwag i lawr, a'r wisgi wedi aildanio'i dymer. Cododd a mynd am y drws. Gwisgodd ei got ac aeth allan. Roedd hi'n noson oer a chlir. Fe ddysgai wers iddo a chael ei wared e cyn ei fod e'n trio gwreiddio. Roedd sŵn ei draed yn drwm ar gerrig y ffald. Cerddodd ymlaen gan deimlo'r oerfel yn sugno'r gwres o'i gorff. Tynnodd ei got yn dynnach amdano. Croesodd Lechwedd Rhedyn o dan y lloer a sefyll i edrych ar y bwthyn. Roedd golau gwan ynghyn yno. Golau cannwyll yn goleuo'n ansicr yn y gwyll. Teimlodd y nerth yn dechrau diflannu o'i gorff. Roedd y marc geni ar ei wyneb yn llosgi yn yr oerfel.

Gallai lusgo'r diawl o'i wely. Rhoi cosfa iddo fe. Ei gael i hel ei bac cyn y bore. Ddeuai ei dad byth i wybod. Dychmygodd y sioc a gâi yn y llonyddwch. Dychmygodd ei wyneb llwyd, ei wallt golau, wrth ei weld yn rhuthro i mewn. Safodd, a ffaelu symud. Roedd y golau yn y bwthyn wedi diffodd. Roedd e'n meddwl am gysgu. Roedd golau tân yn pylu'n wannach yn y ffenest erbyn hyn. Teimlodd Isaac drymder y wisgi yn ei fol ac yn ei esgyrn ac oerodd ei waed yn gols. Llaciodd ei ysgwyddau a theimlodd holl euogrwydd ei wendid. Trodd, a chamu'n ôl am y tŷ.

Yno, ar Lechwedd Rhedyn, yn un o'r maglau roedd Isaac heb eu codi ers nosweithiau am ei fod yn y dafarn, gorweddai llwynoges, a'i dannedd gwynion yn coethi ar y weiren am ei throed. Haliodd a haliodd, a hithau'n cael ei dal yn dynnach a'r gwylltineb yn codi'n dwymyn drwy ei chorff. Roedd ei hanadlau'n drwm ac yn swnllyd, er y byddai hynny wedi llonyddu am byth erbyn y bore.

11

Paru

Roedd Owen wedi bod yn nôl ei negeseuon o'r siop. Fe gododd ben bore a chroesi'r bont grog, cyn cerdded heibio i'r rhedyn ac ar hyd y lôn garreg tuag at yr hewl fawr. Dilynodd honno wedyn yr holl ffordd i lawr i'r siop, gan wylio'i anadl yn cymylu yn yr aer oer. Prynodd ychydig o fwyd, sosban fach a theclyn ar gyfer agor tuniau, llyfr nodiadau newydd ac, ar fympwy, ychydig amlenni o hadau. Roedd hi'n llawer yn rhy gynnar i blannu'r rheini eto, a doedd e ddim yn hollol siŵr a dyfai unrhyw beth ar dir mor uchel, ond roedd am ddechrau paratoi a dechrau cynllunio.

Erbyn hyn roedd tipyn o newidiadau yn y bwthyn. Roedd y teils yn dal eu tir ar y to, ac roedd llai o wynt yn dod i mewn o dan y drws ar ôl iddo stwffio un o'i hen sanau hirion â rhacsod o'r groglofft a'i gosod wrth waelod y drws yn erbyn y gwynt.

Roedd ganddo drefn beunyddiol erbyn hyn hefyd. Byddai'n codi pan fyddai hi'n goleuo ac yna'n mynd i gasglu dŵr o'r nant. Berwi hwnnw wedyn gogyfer â'i de. Roedd e'n dechrau arfer ag yfed y te'n ddu erbyn hyn, gan nad oedd cadw llaeth yn ymarferol. Wedyn, byddai'n cael brecwast o fisgedi ceirch cyn mynd i dorri coed tân gyda'r hen fwyell y daeth o hyd iddi yn yr hen sied sinc. Ar ôl cael caniatâd, roedd Owen yn crwydro ychydig ymhellach o'r bwthyn erbyn hyn ac yn casglu canghennau o bell cyn eu torri ar bwys y bwthyn a'u gosod yn daclus yn y sied. Erbyn gorffen gwneud hynny, byddai'n barod am gawl, a byddai'n golchi'r hen fasn enamel yn y nant cyn crwydro ychydig yn y prynhawn. Roedd ei ddewis cyfyng o fwyd yn ei wneud yn benysgafn i ddechrau, ond erbyn hyn, ac yntau wedi cynefino, roedd ei awch am fwyd wedi lleihau. Roedd rhywbeth am burdeb y mynydd a'r oerfel oedd wedi gwneud ei chwaeth yn syml iawn. Gan ei bod hi'n nosi mor gynnar, byddai'n rhaid iddo wneud yn siŵr ei fod yn ôl yn y bwthyn ganol y prynhawn er mwyn twtio ac ailgodi'r tân a pharatoi am y noswaith hir o'i flaen.

Yn ôl yn y dref, roedd arno ofn tawelwch. Byddai'r llonyddwch yng nghanol y prysurdeb yn ormod iddo. Ond yma, a'r busnes ymarferol o fyw yn ei gadw'n brysur, doedd ganddo ddim synnwyr o amser nac ofn. Er mwyn cadw rhyw fath o drefn ar yr oriau, fe ddechreuodd naddu marc i ffrâm y ffenest bren â'i gyllell boced cyn mynd i'w wely. Gan ei fod wedi colli pob synnwyr o amser yn ei salwch, fe ofynnodd yn y siop am y dyddiad cyn sylweddoli, ar ôl cyrraedd adre, ei fod wedi colli rhai wythnosau yn rhywle. Ar ôl torri coed am oriau, neu gerdded i'r siop, byddai cwsg yn ei ddwyn yn gyflym i'w goflaid pan orweddai gyda'r nos, heb y troi a throsi a fyddai fel arfer yn ei boenydio. Doedd dim llenni yma, ac ni fyddai'n hongian cot neu garthen dros y ffenest chwaith gan fod yn well ganddo adael i olau'r wawr a sŵn yr adar ei ddihuno. Ond nid ei farciau ef yn unig oedd ar yr hen fframyn ffenest nac ar hyd trawstiau'r bwthyn chwaith. Uwchben y gwely, yn nhrawst y grogloft, roedd cylch rhyfedd a chroes wedi eu naddu yno flynyddoedd lawer yn ôl, ac yn y ffenest roedd dwy lythyren, A ac I. Roedd y marciau'n ddwfn ond yn blentynnaidd. Byddai Owen yn gorwedd yn y gwely ac yn rhedeg ei fysedd ar eu hyd weithiau, cyn chwythu'r gannwyll a gwrando ar y nant yn llifo'r tu allan. Er ei fod wedi blino'n gorfforol yn fwy nag erioed, roedd ei feddwl fel petai'n gorffwys, ac er nad oedd rhyw syniadau mawr yn dod iddo, roedd rhywbeth nad oedd e'n medru ei ddirnad yn digwydd.

Roedd wedi dod i arfer â'r ystlumod a gysgai yn y to. Pan gyrhaeddodd yno, byddai ychydig o fynd a dod wrth i'r gwyll gasglu'r tu allan i'r ffenest a bwyda ola'r flwyddyn orffen. Ond erbyn hyn roedden nhw wedi tawelu, er bod eu presenoldeb cynnes yn y tywyllwch yn gysur iddo.

Roedd y Nadolig yn nesáu ac fe grwydrai ei feddwl weithiau tuag at ei fam. Doedd y ddau ddim wedi treulio'r ŵyl gyda'i gilydd ers blynyddoedd, a hithau gyda'i theulu newydd. Fyddai eleni ddim gwahanol. Gwrandawodd Owen ar y tân. Roedd y dylluan allan yn hela eto; gallai ei chlywed yn galw yn y tywyllwch.

Siarad ag Enoch ar lechen y drws wnaeth e. Roedd wedi mynd â'r hances yn ôl iddo, er fod staen gwaed yn dal yn dywyll ar y defnydd golau. Ymddiheurodd am ei sarnu ond ei bocedu'n dawel wnaeth Enoch. Ddywedodd hwnnw ddim llawer rhagor, dim ond syllu arno a nodio pan soniodd Owen y gallai dorri coed tân iddyn nhw hefyd. Teimlodd y dylai ddweud rhywbeth am ei salwch. Diolch iddo, efallai, am edrych ar ei ôl. Roedd ei ddicter tuag ato am losgi hanner ei bapurau wedi pylu erbyn hyn, ond roedd rhywbeth yn yr wyneb llonydd oedd yn atal ei eiriau rhag llifo. Gallai ddweud rhywbeth rywbryd eto. Roedd digon o amser. Cytunodd i fynd i helpu gyda'r twrcwns y dydd Llun cyn y Nadolig. Cau'r drws wnaeth Enoch wedyn wrth i'r cŵn gyfarth ar Owen o'r ffald.

Enoch John Jones oedd ystyr y llythrennau ar yr hances. Daeth i wybod cymaint â hynny gan y fenyw yn y siop. Doedd hi ddim am ddweud dim byd arall, dim ond bod y teulu wedi cael profedigaeth yn ddiweddar. Nodio'i ben wnaeth Owen a gwenu'n wan arni. Chwythodd y gannwyll a phylodd golau'r tân. Arhosodd wedyn am eiliad nes i'w lygaid ddod yn gyfarwydd â'r tywyllwch. Yna, daeth y sgrech gyntaf. Cododd i eistedd ar ei union. Sgrech arall. Nid fel sgrech tylluan. Roedd hon yn oerach, yn ffyrnicach rywffordd. Cododd y blew ar war Owen ac er ei fod yn gynnes yn ei wely, fe redodd yr oerfel fel dŵr i lawr ei gefn. Yna, dyma sgrech yn ateb. Sŵn cyntefig. Sŵn a oedd yn llenwi'r tywyllwch. Gorweddodd Owen yn ôl gan geisio arafu ei galon drwy anadlu'n arafach. Arhosodd yn ei wely yn gwrando ar y tywyllwch, a'r llythrennau a oedd wedi eu naddu yn y pren yn gloywi yn y gwyll.

1 2

Plufio

ROEDD Y TWRCI cyntaf wedi ei hongian gerfydd ei draed o un o drawstiau'r hen feudy. Gwyliodd Owen Enoch yn cydio yn ei ben a gwasgu'r gyllell i'w geg i agor ei big. Gwthiodd yr awch drwy'r cnawd meddal yn nhop ei geg ac yn syth i mewn i'w ymennydd. Yna, dyma droi'r gyllell yn sydyn i ddal nerf y plu. Roedd ceg Owen yn sych wrth iddo ddal y corff cynnes. Yna, cyn i'r galon beidio â gwthio'r gwaed trwy'i wythiennau, dyma'r twrci'n gollwng ei blu, ac Enoch yn medru ei blufio mewn munud neu ddwy, a sŵn y plu'n cael eu rhwygo'n ddyrnau o'r croen yn cosi'r aer. Edrychodd Enoch yn siarp ar Owen a gwnaeth hwnnw yr un peth. Wedi iddyn nhw orffen, dim ond y plu styfnig o gwmpas blaenau ei adenydd ac ym môn ei gynffon oedd ar ôl. Neidiodd calon Owen wrth weld yr adenydd yn dal i guro a'r gwddwg noeth yn plycio â nerfau. Edrychodd mewn syndod ar Enoch. Parhau i blufio wnâi hwnnw heb edrych arno, a hanner gwên yn nhroad ei geg. Roedd siwmper wlân Owen yn blu i gyd ac arogl y corff a'r croen ar ei ddwylo. Teimlai'n gynnes. Yna, gwyliodd Enoch yn torri gwddwg y twrci ac yn ei waedu i fwced islaw.

Roedd Owen wedi eistedd ar lechen y sied nes i Enoch gyrraedd. Doedd ganddo ddim synnwyr o amser a doedd e ddim eisiau bod yn hwyr. Eisteddodd gan wylio dannedd y cŵn defaid yn coethi arno dan ddrysau siediau'r ffald.

Enoch fyddai'n lladd ac yn agor, ac Isaac fyddai'n plufio fel arfer. Byddai'r ddau'n cario'r adar wedyn, yn dal yn gynnes, i'r tŷ lle byddai Hannah â phadell o ddŵr cynnes yn barod i'w glanhau. Byddai'n tynnu'r plu styfnig wedyn â phleiars cyn rhoi'r gyddfau a'r afu mewn cydau bach a'u gwthio yn ôl i mewn i'w boliau gwag. Roedd ganddi glorian hen ffasiwn a byddai'n pwyso pob un, gan wybod pwy fyddai eisiau twrci bach neu dwrci mawr. Ar ôl eu golchi, byddai'n nôl persli o'r ardd, cyn plygu'r coesau'n daclus a'u clymu'n dwt.

Safodd Owen yn ôl wrth i'r twrci nesaf gael ei ladd a theimlodd symudiad wrth i Isaac dywyllu'r drws. Cododd Enoch ei ben i edrych arno cyn edrych yn ôl ar Owen a chario ymlaen i weithio. Teimlodd Owen lygaid Isaac arno. Ceisiodd Owen edrych arno ond tynnodd hwnnw ei lygaid oddi wrtho fel pe bai ei edrychiad yn llosgi ei lygaid. Gallai deimlo holl osgo Isaac yn gwyro oddi wrtho. Tynnodd Owen ei lygaid yn ôl at y twrci. Roedd y clwy a roddai Enoch yn hollol dawel ac yn beryglus o syml, ac roedd synnwyr yn dweud bod y twrci wedi marw, ond roedd ei gorff fel pe bai'n dal yn fyw. Symudodd Isaac yn agosach a dechrau plufio fel Owen. Os na fyddai'r ddau'n tynnu'r plu o fewn rhyw ddwy funud, byddai'r gwaed yn oeri a'r plu yn pallu symud. Gofalodd Owen gadw ei ddwylo ymhell o rai Isaac rhag iddyn nhw gyffwrdd eu bysedd wrth eu gwaith. Doedd Owen ddim wedi gweld Isaac yn iawn o'r blaen. Gwyliodd ei ddwylo'n rhwygo'r plu yn ddiamynedd a daeth gwres i'w wyneb wrth iddo sylweddoli pa mor feddal oedd gwynder ei ddwylo ef o'u cymharu. Sylwodd ar y patrymau o linellau o gwmpas ei lygaid ac ar y marc geni. Roedd ei anadl yn sur o wisgi'r noson cynt.

Wrth iddyn nhw blufio'r ail, roedd Enoch yn agor y cyntaf, gan dynnu ei berfedd a'i daflu i fwced islaw'r bwrdd. Roedd ei ddwylo'n waed i gyd a'i lewys wedi eu rholio i fyny. Synnodd Owen ar ba mor ifanc yr edrychai croen ei freichiau uwch ei benelin, a hwnnw byth yn gweld yr haul. Clywodd y cŵn yn cyfarth yn eu cytiau ar waelod y ffald, yn gwybod bod gwledd o'u blaenau.

Gweithiodd y tri mewn tawelwch, a chynhesodd corff Owen. Tynnodd y siwmper dros ei ben a'i rhoi ar sil y ffenest. Roedd y sied yn ffluwch o blu erbyn hyn a chwys yn cronni ar ei dalcen. Llenwai'r aer â llwch y plu, a gwres y croen a'r gwaed. Teimlai Owen yn anwadal, a'i gwsg wedi ei dorri ers wythnosau gan y sgrechiadau yn y nos. Roedd cyhyrau ei ysgwyddau yn llosgi a gwendid ei salwch yn dal yn llechu yn ei gorff yn rhywle. Dechreuodd beswch ac fe edrychodd Isaac arno a'i symudiadau'n mynd yn fwy diamynedd. Daeth arogl y gwaed cynnes o'r bwced a hwnnw'n ceulo'n ara bach ac yn tywyllu. Gallai glywed sŵn Enoch yn tynnu'r perfedd yn wlyb o'r cnawd a thrymder y rheini'n glanio yn y bwced. Rhedodd allan i oerfel y ffald i gyfogi. Safodd a phwyso ar wal gerrig y sied. Gallai glywed yr adenydd yn dal i guro y tu mewn. Anadlodd yn ddwfn a chlywed y cŵn yn chwyrnu ar ei bresenoldeb dierth. Sadiodd ei stumog ychydig a gallai glywed sŵn lleisiau'n cecru y tu mewn i'r sied. Cochodd. Teimlodd wres trwy ei gorff a sigodd ei galon. Meddyliodd am ddwylo cryfion Isaac a chywilyddiodd. Sychodd ei geg â chefn ei law a sythu ei gefn. Tynnodd anadl hir cyn mynd yn ôl i mewn i'r sied a'r gwres. Ddywedodd Isaac ddim byd wrtho ond roedd yn sefyll yn dalach, rywsut, ac roedd fel petai rhyw wên anweledig yn ddwfn y tu mewn iddo.

Wedi gorffen, gorweddai deg o dwrcwn cynnes ar y bwrdd wedi eu hagor. Torrodd Enoch eu pennau a'u traed i ffwrdd a chasglodd Isaac y plu i ferfa. Câi'r rheini eu taflu i'r hen domen ar waelod y ffald. Syllodd Owen ar eu gwynder wedi ei orchuddio â choch llachar y gwaed. Cariodd Isaac y twrcwns i'r tŷ wedyn fesul un wrth i Enoch nôl bwced o ddŵr oer a baryn o sebon oren. Golchodd Owen ei freichiau nes bod ei groen yn sgald gan yr oerfel. Sychodd nhw yn y tywel garw a gwylio Enoch yn gwneud yr un peth. Aeth Isaac â'r bwcedi o gorrwg at y cŵn a chlywai Owen y rheini'n gwylltio wrth ogleuo'r cig.

"Da 'machgen i," meddai Enoch wedyn wrth groesi llwybr Owen ar y ffordd i'r tŷ.

Edrychodd Owen arno'n mynd.

"Well inni ga'l te."

Roedd croen wyneb Owen yn llosgi yng ngwres y tŷ ac am ei fod wedi dechrau arfer ag oerfel y bwthyn, teimlodd yn gysglyd yn sydyn. Eisteddodd ar y sedd bren ar bwys y bwrdd a'r gwacter yn ei fol yn gwasgu arno. Roedd Enoch yn berwi'r tegyl. Safai Isaac yr ochr arall i'r bwrdd uwchben hen glorian yn pwyso a mesur. Cariodd Enoch y llestri at y bwrdd a sylwodd Isaac nad y mygiau bob dydd oedden nhw ond cwpanau. Doedd y rheini ddim wedi cael eu defnyddio ers cyn i'w fam farw. Symudodd Isaac ei bwysau'n anghyfforddus.

"Dim twrci o'n ni arfer ei ga'l," meddai Enoch drwy'r tawelwch.

Synnodd Owen ar ba mor swnllyd oedd llais ar ôl bod ar ei ben ei hun cyhyd.

"Gŵydd fydde hi bob tro, bydden nhw'n 'u cadw nhw rif y gwlith lan ffor hyn flynyddo'dd yn ôl ar bwys y llynno'dd 'ma. Bydden ni'n mynd i blufio wedyn a cha'l dod ag un adre. Un â chroen 'i brest hi wedi rhwygo fynycha, a ddim yn ffit i'w gwerthu."

Clywodd Owen y glorian yn clecian wrth i bwysau twrci ei gwasgu.

"Ond 'na fe, o'dd e'n ca'l help i rwygo ambell waith 'fyd," ychwanegodd Enoch â gwên.

Gosododd Enoch y tebot ar y bwrdd ac estynnodd Owen amdano. Cododd Isaac ei lygaid yn siarp a theimlodd Owen ei olwg arno. Tynnodd ei law yn ôl.

"Helpwch 'ych hunan," meddai Enoch, gan godi'r dorth ar ei fol a'i thorri'n dafellau tenau yn erbyn ei siwmper.

"Mae e wedi'n barod," meddai Isaac, wrth godi'r twrci o'r glorian a gadael i'r pwysau gwympo â chlec.

Eisteddodd Enoch yn araf gan fachu'r siwc la'th â dolen ei ffon a'i thynnu tuag ato ar draws y ford. Doedd dim sŵn ond sŵn Isaac yn pwyso a mesur.

"Ac un o le y'ch chi 'te?" gofynnodd Enoch o'r diwedd.

Roedd gwddwg Owen mor sych nes y bu raid iddo gydio yn y tebot ac arllwys te iddo'i hun. Cymerodd lymaid i geisio lleddfu'r gwacter yn ei fol.

"O'r sowth," meddai'n ansicr gan estyn am y siwgr a throi llwyed i fewn i'r cwpan.

Teimlodd Owen ddirmyg tawel Isaac ar ei bwys.

"Dod 'ma i ysgrifennu 'nes i." Oedodd Owen am eiliad a'i eiriau'n swnio'n anwadal rywffordd. "O'dd fel 'se rhywbeth yn 'y ngalw i 'ma..."

Astudiodd Enoch ei wyneb.

"Wedi ca'l ysgol, y'ch chi?"

Doedd Owen ddim yn gwybod sut i ymateb.

"O'dd capel 'da fi, deirgwaith ddydd Sul lawr yn y cwm. O'n i'n ca'l lojins wedyn nos Sul ar gyfer ysgol dydd Llun. Aros fan'ny wedyn am wythnos cyn ca'l dod adre nos Wener. O'dd ei fam e'n hebrwng hwnco bob dydd, am faint o les nath e."

Tynhaodd cyhyr yng ngên Isaac wrth iddo gyfri'r pwysau unwaith eto.

"A faint o lyfre y'ch chi wedi'u hysgrifennu 'te?"

Rhoddodd Owen y cwpan i lawr. Roedd melyster y te yn anghyfarwydd iddo erbyn hyn ac yn corddi ei fola.

"Dim un 'to," cyfaddefodd.

Roedd pob sill a ddeuai o enau Enoch fel pe bai wedi ei naddu'n glir. Byddai'r acenion yn y dre'n toddi'n un sŵn diddiwedd o'i gwmpas ond yma roedd geiriau Enoch yn foel ac yn ofalus o gynnil. Sylweddolodd Owen fod Enoch yn syllu arno â llygaid llonydd. Roedd sŵn y cloc yn cerdded fel petai wedi cynyddu. Teimlai'r chwys i lawr ei gefn.

"Ma 'na ryw sŵn," meddai wedyn, gan geisio llenwi'r tawelwch, "yn y nos, rhyw sgrechen."

Roedd Enoch yn dal i gydio yn ei ffon. Edrychodd ar yr ansicrwydd yn llygaid y bachgen ifanc.

"Y llwynogod, 'ynta," meddai Enoch yn dawel. "Amser y flwyddyn. Ma nhw'n paru."

Nodiodd Owen. "O."

Aeth presenoldeb Isaac yn ormod iddo. Cododd.

"Diolch am y te."

Edrychodd Enoch arno mewn syndod. Aeth Owen at y drws a chydio yn ei got. Chododd Isaac mo'i ben ond ymlaciodd ei ysgwyddau ychydig wrth weld y bachgen yn symud tuag at y drws.

"Fe ddo i lawr wythnos nesa," meddai Owen wrth gydio yng nghlicied y drws.

Nodiodd Enoch a chodi.

"A be newch chi dydd Dolig nawr 'te?" gofynnodd yn sydyn.

Cododd Isaac ei ben.

"Fydda i'n iawn, diolch yn fawr ichi."

Nodio wnaeth Enoch eto.

"'Na fe 'te."

Gwyliodd y ddau y bachgen yn diflannu drwy'r drws.

Aeth Enoch i eistedd o flaen y tân heb gyffwrdd â'i fara menyn, ac yntau wedi meddwl cael mwy o hanes y bachgen. Gorffennodd Isaac ei waith pwyso cyn mynd i olchi ei ddwylo. Eisteddodd wedyn wrth y bwrdd yn marcio'r biliau yn barod am heno.

Ei fam fyddai'n mynd â'r twrcwns fel arfer. Byddai hi'n mynd â'r cardiau, y poteli o wisgi a'r bocseidi o fisgedi yr un pryd at Peithyll a'r lleill. Byddai ganddi boced o arian parod wedyn ar gyfer siopa bwyd y Nadolig. Nid ei bod yn prynu llawer mwy nag arfer yn y Co-op. Ond fe fyddai hi'n dod â photel o sieri at y treiffl a phoinsetia coch i'w osod ar y ddreser.

Heno, byddai'n rhaid i Isaac fynd â nhw. Roedd hi'n ddigon oer yng nghefn y tŷ i'w cadw am ddiwrnod neu ddau yn y gegin hir ond roedd hi'n well cael eu gwared nhw. Fe âi i newid wedyn a'u rhoi yng nghefn y Land Rover cyn mynd â nhw. Doedd dim cardiau eleni, na bisgedi. Byddai amlen ac arian y twrci ynddi yn aros amdano dan ei blât bach ar y bwrdd te yn Peithyll. Câi fynd i eistedd wedyn yn y parlwr gorau, pob un o'r dynion â gwydraid bach o wisgi, nes i'r cloc bach ar y pentan ddweud wrtho fod yn rhaid iddo fynd. Byddai gwraig Jâms yn ei hebrwng wedyn i ddrws y bac i gynnau golau'r ffald iddo a gwthio cwdyn â rhyw ddwsin o fins peis i'w ddwylo wrth iddo adael, a'i dwylo'n dal yn llaith ac yn goch ar ôl golchi'r llestri te.

Daeth sŵn Isaac yn ysgrifennu'r biliau i ymwybod Enoch. Eisteddai hwnnw'n dawel o flaen y tân. Roedd llwch yn drwch ar y stafell erbyn hyn. Ar wydr yr hen luniau, yn un haenen gymylog ar bren y ddreser heb ofal Hannah. Hi oedd yn prynu'r cywion twrci bob blwyddyn, a'u bwydo fore a nos. Roedd yna gleber diddiwedd yn dod o gynhesrwydd y sied pan fyddai'n cerdded heibio. Ond allai Enoch ddim dychmygu eu cadw y flwyddyn nesaf. Roedd gormod o ffwdan, a'r nifer oedd eisiau twrci mawr ar gyfer eu teuluoedd ar y mynydd yn lleihau. Dim ond Peithyll a Chlawdd Melyn oedd ar ôl. Gwyliodd olau'r tân yn dawnsio yng ngwrid pren ei ffon dywyll. Llusgwyd ei feddwl yn ôl at oerfel a thawelwch y sied wag.

13

Nadolig

FORE DYDD NADOLIG gwyddai Owen ei bod hi wedi bwrw eira cyn iddo agor ei lygaid. Roedd yna olau glas golau yn ymdreiddio trwy gloriau ei lygaid. Roedd hi'n annaturiol o dawel, a hyd yn oed clychau'r nant wedi eu mygu. Cododd a thynnu ei drowser amdano'n gyflym gan wylio'i anadl yn cymylu'r aer. Tynnodd ei siwmper dros ei ben ac aeth ati i agor ac ailgynnau'r tân. Gwisgodd ei esgidiau ac agor y drws i nôl dŵr o'r nant. Tynnodd anadl siarp wrth i'r oerfel losgi ei ysgyfaint. Clapiodd ei lygaid am ychydig wrth geisio dod yn gyfarwydd â'r gwynder.

Cerddodd ymlaen at y nant a'i gerddediad i'w glywed yn yr eira. Roedd hi wedi rhewi ar hyd ei glannau a'r frwydr rhwng symudiad y dŵr a llonyddwch yr eira wedi creu cyrliau a chleddyfau o rew. Edrychodd Owen ar y siapiau rhyfeddol mewn tawelwch. Roedd disgleirdeb yr haul oer yn tasgu oddi ar yr eira mewn miliynau o bigiadau bach golau. Culhaodd ei lygaid. Estynnodd yr ochr draw i'r rhew a gollwng y sosban i'r dŵr. Clywodd aderyn du yn codi'n un nodyn oddi ar yr hen ffawydden gan ddisodli cwmwl o eira a hwnnw'n cwympo'n ddisglair i'r llawr. Cododd a syllu ar y golau glân. Yna, fe synhwyrodd y symudiad lleiaf. Llygad yn troi. Edrychodd tuag at y bwthyn. Yno, ar bwys y drws, roedd sgwarnog, yn swatio'n llonydd ymysg ychydig o frwyn a oedd wedi ei chysgodi oddi wrth yr eira. Cyflymodd calon Owen. Roedd e wedi cerdded yn syth heibio iddi. Edrychodd y ddau ar ei gilydd, a llygaid euraid y sgwarnog yn ei fesur, fel y gwnâi llygaid Isaac. Gallai Owen weld holl liwiau ei chot – brown y mawn a choch y rhedyn – a'r clustiau'n toddi'n rhyw liw hufennog tuag at eu blaenau. Camodd Owen ymlaen tuag ati. Sefyll wnaeth hi, a'i chorff a phob cyhyr yn crynu, yn brwydro i ffrwyno ei symudiad, ond glynu yn ei hunfan wnaeth hi. Symudodd Owen yn agosach a'r sosban yn ei law. Dwy lathen. Gallai'r naill glywed calon y llall. Trodd y sgwarnog ei chlustiau a gwrando ar ei gerddediad. Llathen. Hanner. Ac yna, fe ffrwydrodd, gan godi'r eira yn un ffluwch ar ei hôl. Sgrialodd i ffwrdd, gan fowndio dros yr eira a gadael llwybr igam-ogam yn y plu. Cyflymodd calon Owen gan bŵer ei symudiadau a gwenodd wrth ei gweld yn mynd.

Ar ôl berwi'r dŵr, yfodd ei de a chymysgu uwd iddo'i hun â gweddill y dŵr. Bwytodd hwnnw yn y tawelwch ar bwys y tân gan edrych ar ei lyfr nodiadau newydd o'i flaen. Roedd ambell farcyn ar wynder y tudalennau yn barod. Ond nid geiriau oedden nhw. Lluniau mewn pensel. Llun deilen anghyfarwydd. Ôl traed dierth ar lawr. Edrychodd arnyn nhw wrth deimlo'r uwd yn cynhesu ei berfedd.

Roedd e am gerdded yn ddwfn i'r mynydd heddiw. Edrychodd i fyny wrth gau'r drws. Roedd yr awyr yn hollol glir a gallai fod yn sicr na ddeuai rhagor o eira am rai oriau beth bynnag. Croesodd y bont grog gan redeg ei law ar hyd y pren ac aflonyddu'r powdwr gwyn arno, a gwympodd yn rhaeadr oer i'r dŵr islaw.

Er fod yr eira'n edrych fel na phetai brycheuyn arno ar yr edrychiad cyntaf, fe welai Owen straeon ynddo wrth gerdded. Roedd yna lwybr yn dilyn clawdd y ddraenen ddu. Ôl traed llwynog yn llusgo ei gynffon dew ar ei ôl. Patrwm bregus ôl traed aderyn bach wedi glanio i chwilio am ychydig o hen hadau yn y brwyn ac yna wedi esgyn i'r nen. Roedd yr eira'n ddyfnach ar bwys y cloddiau, wedi lluwcho ychydig gyda'r gwynt. Stopiodd Owen a syllu. Yno, roedd ôl traed rhywbeth yn debyg i rai llygoden, yn ymddangos megis o nunlle yng nghanol ehangder gwyn o eira. Gwenodd Owen wrth ddychmygu'r creadur yn ymddangos o'i dwnnel tanddaearol gan fethu deall i ble roedd y byd wedi diflannu. Yn twnelu drwy'r eira i sicrhau ei hun fod y byd yn dal i fodoli, cyn diflannu'n ôl i'w gartref clyd.

Cododd Owen ei ben ac edrych i lawr tuag at y tŷ. Roedd yna dân ynghyn ac fe allai weld ffigwr swrth Isaac yn cerdded y ffald yn paratoi porthion, ar gyfer y defaid siŵr o fod. Trodd Owen ei gefn, ddim eisiau sarnu ei ddiwrnod wrth feddwl am dawelwch stwbwrn Isaac. Camodd i fyny. Roedd yr eira'n anwastad yn y tir garw, a gwellt y bwla a'r brwyn yn mynnu gwthio'n anniben drwy'r gwynder. Edrychodd i fyny ar y mynydd, a hwnnw â rhyw wrid glas golau arno yn ei oleuder. Rhesymodd Owen y gallai ddilyn ei lwybr ei hun adre am fod y gwynt wedi gostegu ac nad oedd yn bygwth symud y powdwr sych ac ail-lenwi ôl ei draed. Cerddodd ymlaen gan deimlo'n lanach â phob cam. Dychmygodd Enoch ac Isaac yn eistedd wrth y bwrdd yn cael eu cinio Nadolig cyn iddo dynnu ei feddyliau yn ôl at yr oerfel.

Bob yn awr ac yn y man deuai ar draws ffynnon a honno'n dal i wthio dŵr o grombil y ddaear. Weithiau, byddai'r rhew fel petai'n ceisio dangos prydferthwch y dŵr gan ddal swigod a chraciau yn ei ffurfiau. Bryd arall, pan fyddai'r dŵr yn llifo'n arafach, byddai'n bosib rhoi eich dwylo oddi tan haenen denau o rew a'i godi'n grwn fel tudalen dryloyw o'r dŵr. Wrth edrych ar y mynydd, codai'r ffynhonnau'n greithiau tywyll ar ei wyneb. Dringodd Owen i fyny'r mynydd, a'i gorff yn gynnes erbyn hyn.

Roedd yr eira'n ddyfnach yn uwch ar y mynydd a'r gwynt

wedi ei gorlannu mewn mannau anghysbell. Suddai ei draed hyd at ei bigyrnau. Roedd hyn yn ei gwneud hi'n anoddach cerdded. Roedd yr awyr yn wynnach hefyd. Yn llawnach. Cerddodd ymlaen heibio i'r Fainc Ddu. Weithiau deuai ar draws hen adfail, a'r cerrig yn ymddangos ar onglau duon. Doedd dim coed i fyny fan hyn, dim ffensys. Dim arwyddion. Daeth ar draws hen gylch o gerrig a chwe dafad yn cysgodi ynddo. Codi wnaeth y rheini ar ei ddyfodiad a rhedeg i ffwrdd gan godi'r eira'n ddisglair dan eu carnau. Arafu wedyn, pan oedden nhw'n ddigon pell oddi wrtho, cyn dechrau crafu'r llawr am fwyd.

Ar ôl rhai oriau, daeth Owen yn agosach at frig y mynydd. Erbyn hyn, roedd yr awyr yn llawnach a'i gwynder yn ymdebygu i wynder yr eira ar lawr. Tynnodd ei sgarff dros ei geg a theimlo gwlypter ei anadl ei hun. Roedd yr awel yn codi.

Doedd dim copa i'r mynydd fel y cyfryw. Roedd rhes o fynyddoedd, a phob bryn yn codi cyn uched â'r llall. Cerddodd Owen ymlaen hyd at y copa agosaf. Roedd yr aer yn deneuach a hithau'n oerach yn y fan hyn, er yr haul gwan. Yna, wedi cyrraedd y brig, fe safodd yn stond. Teimlodd ei ysgyfaint yn tynnu yn ei frest ac fe sylweddolodd fod yr haul wedi pylu. Nid wedi diflannu, ond wedi ei fygu.

Gallai weld am filltiroedd, ar draws y tir uchaf tuag at y môr, a'r gorwel yn un llinell arian yn y pellter. Roedd y tawelwch yn fyddarol. Yna, yn y llonyddwch, clywodd siffrwd plu. Llithrodd ei lygaid i chwilio am y sŵn. Roedd ceiliog y mynydd wedi codi, a'i gorff stowt yn rhydlyd yn erbyn yr eira. Gwenodd Owen cyn i symudiad arall ddal ei lygaid uwch ei ben. Barcud coch. Gallai Owen deimlo'i waed yn pwmpio yn ei glustiau. Doedd yr aderyn ddim wedi ei weld, a'r barcud yn hofran yn hollol lonydd uwch ei ben a dim ond y gwynt yn cribo'r plu ar flaenau ei adenydd.

Safodd amser a doedd dim sŵn ond am sŵn yr awel trwy'r plu. Yna, heb feddwl, fe waeddodd. Codi ei freichiau uwch ei ben a'u chwifio. Llonyddodd y ceiliog y mynydd mewn ofn a bron y gallai weld llygaid duon y barcud yn troi yn ei ben. Yna, dyma Owen yn taflu ei bwysau i lawr y mynydd. Yn rhedeg, yn chwifio'i freichiau wrth fynd. Yn gweiddi nerth esgyrn ei ben. Dyma'r ceiliog y mynydd yn codi ond roedd y barcud yn dal ei dir. Dyma Owen yn gweiddi a rhuo, gan estyn am y barcud coch â'i fysedd fel pe bai'n medru ei gyffwrdd. Roedd y ceiliog y mynydd wedi hen ddianc a safodd y barcud ac yntau am rai eiliadau wrth i Owen sgidio i stop. Curodd calonnau'r ddau, un uwchben y llall, cyn i'r barcud droi â'i swch yn dynn ac ehedeg i ffwrdd yn dawel. Dechreuodd Owen chwerthin. Chwerthin, a'r sŵn yn disodli'r tawelwch. Chwerthin lond ei gorff a llond y mynydd cyn cwympo'n ôl ar ei gefn yn yr eira a pharhau i chwerthin nes iddo deimlo rhywbeth ar ei wyneb. Roedd dagrau cynnes wedi eu gwasgu o'i lygaid gan y chwerthin, ond roedd y gwlyborwch hwn fel pe bai'n siarpach. Agorodd ei lygaid. Roedd hi'n bwrw eira.

14

Ffeldyn

DOEDD DIM OLION traed ar ôl. Doedd dim synnwyr o fynd lan na lawr y mynydd ganddo chwaith ac roedd y gwynt wedi codi mor sydyn nes i'r plu eira gymylu ei lygaid yn llwyr. Nid gwyn oedd yr eira erbyn hyn, ond llwyd. Roedd hi'n tywyllu hefyd, ond roedd hi'n dal yn dawel. Syrthiai'r plu mân gan wthio i bob gofod, i bob gwagle, gan ddileu ôl unrhyw stori ac unrhyw ddrama oddi ar wyneb y mynydd. Golchodd y gwynder y cyfan i ffwrdd, gan ddallu Owen. Ceisiodd anelu i lawr y mynydd ond doedd y mynydd ddim yn codi'n gyson â phob cam. Byddai llwybrau gwastad yn arwain i fyny'r mynydd. Roedd y gwynt yn gwasgu'r eira i'r pantau a phob hyn a hyn byddai Owen yn suddo i'w bengliniau. Byddai'n tynnu anadl hir o ofn pan ddigwyddai hynny ac yn dyfyrio ei hun am beidio â gwisgo'n gynhesach. Roedd y gwynt yn filain ac yn fain ac yn mynd trwy'i got fel petai hi ddim yno. Roedd ei fysedd wedi cochi nes bod gwrid porffor arnyn nhw. Doedd dim i'w wneud ond ceisio dod o hyd i gysgod. Rhyw wal. Unrhyw beth. Gallai deimlo panig yn codi'n swnllyd yn ei frest a'i feddwl ond roedd y cyfan mor dawel â'r bedd o'i gwmpas. Meddyliodd Owen mai teimlad fel hyn oedd boddi, mae'n siŵr. Allai e ddim gweld yr haul gan ei fod wedi ei lyncu gan lwydni'r lluwchau ond fe allai deimlo ei ddiflaniad dros y gorwel wrth i'r mynydd dywyllu ychydig a'r llwydni'n troi'n rhyw borffor tywyll.

Cerddodd Owen yn ei flaen, gan stablan yn y tir garw, a syrthio weithiau i dyllau dyfnion. Meddyliodd iddo ddod o hyd i lwybr unwaith gan fod y ddaear yn teimlo'n fwy gwastad dan ei draed, dim ond iddo gael ei daflu oddi ar ei echel ar ôl camu i ganol brwyn. Fe wyddai nad oedd neb yn gwybod ei fod yno. Doedd ganddo ddim ffordd o alw am help. Meddyliodd am dlysni'r haul y bore hwnnw. Bore dydd Nadolig. Roedd e'n oer. Yn wirioneddol oer. Allai e ddim teimlo'i draed na'i gluniau ac roedd ei drowser gwlyb yn glynu at ei groen rhynllyd. Roedd ei anadl yn mynd yn fyr. Doedd e ddim wedi teimlo ofn fel hyn o'r blaen. Ac yna, yn y pellter, fe welodd rywbeth. Cododd ei ben, a'r gwynt yn rhuthro'r eira i'w wyneb. Roedd e'n siŵr ei fod wedi gweld golau.

"Help!" Ond câi ei lais ei gario y tu ôl iddo gan y gwynt. "Help!"

Dechreuodd redeg ond roedd ei goesau'n rhy wan. Diflannodd y golau. Ceisiodd gwrso ar ei ôl. Doedd dim byd i'w weld. Aeth y cyfan yn wyn. Meddyliodd mai dychmygu'r peth wnaeth e. Ond o'i flaen, lle roedd y golau wedi bod, roedd y ffeldyn. Y cylch o gerrig. Aeth ato a dringo i mewn iddo. Roedd y gwynt yn chwythu drosto a gallai glywed ei hun yn anadlu unwaith eto. Tynnodd ei freichiau a'i goesau tuag ato a gwrando ar y gwynt yn rhuo uwchben. Roedd e'n rhy oer i grio. Yn rhy flinedig i frwydro. Doedd dim sŵn, dim ond sŵn ei anadlu a sŵn y gwynt. Doedd Owen ddim wedi teimlo oerfel fel hyn o'r blaen. Teimlai'n gysglyd. Roedd yr oriau o gerdded wedi dweud ar ei gorff ac yntau wedi crynu cymaint nes ei bod yn amhosib iddo beidio â chau ei lygaid. Ceisio gorffwys. Er fod y gwynt yn hyrddio'n gwthwm ar y cerrig, roedd y rheini'n ffyddlon ac yn dal eu tir ac am eiliad, wrth iddo gau ei lygaid, meddyliodd am y sgwarnog yn cysgodi yng ngwaelod y brwyn y bore hwnnw. Ei llygaid euraid yn syllu arno. Fel pe bai'n ei adnabod. Fel pe bai'n hen gyfarwydd ag ef. Roedd 'na ryw olwg yn ei llygaid fel pe bai hi'n uniaethu ag ef. Yn gwybod am ei holl boenau. Roedd ei llygaid yn hen lygaid. Llygaid oedd wedi bodoli ers cyn cof.

Wrth iddo suddo i drwmgwsg, fe gydiodd rhywun yn ei goler a'i blycio o'i freuddwyd. Llusgwyd ef i'w draed. Cododd Owen ei ben i weld lamp yn taflu golau oer ar draws llygaid duon Isaac. Tynnwyd ef wrth ei fraich ar hyd rhyw lwybr ac yna taflwyd ef i mewn i'r Land Rover. Caeodd Isaac y drws arall â chlec, a thaniodd yr injan heb ddweud gair. Gyrrodd yn ofalus i lawr yr hen lôn fynydd at y tir isel. Roedd sŵn y cerbyd yn fyddarol ar ôl tawelwch yr eira. Gwyliodd Owen Isaac â'i lygaid gwlyb.

"Diolch," meddai'n syml.

Anesmwythodd Isaac wrth newid gêr. Thynnodd e mo'i lygaid oddi ar y lôn.

"Fel blydi plentyn," meddai o'r diwedd gan syllu i'r storom o'u blaenau.

1 5

Lloches

Eisteddai Owen o flaen y tân. Roedd Enoch yn eistedd gyferbyn ag ef yn naddu hyd ffon fugail. Roedd Isaac yn eistedd wrth y bwrdd a golwg aflonydd arno. Bu'n rhaid iddo dynnu ei ddillad yn y parlwr ac aeth Isaac lwyr ei din i mofyn dillad sych iddo. Roedd y fest a'r siwmper yn llawer rhy fawr i fframyn eiddil Owen a bu'n rhaid iddo dynnu'r belt oddi ar ei drowser gwlyb a'i osod ar drowser Isaac i gadw hwnnw i fyny. Edrychai fel plentyn. Codai Enoch ei lygaid i edrych arno bob yn awr ac yn y man a hanner gwên ar ei wyneb. Weithiau, byddai fflamau'r tân yn tagu wrth i hyrddiad o wynt lenwi'r simne. Roedd hi'n dywydd mawr y tu allan.

Roedd olion cinio Nadolig ar y bwrdd, er mai un digon syml oedd hwnnw wedi bod. Roedd Enoch wedi coginio'r twrci ac Isaac wedi crafu cwpwl o dato a moron. Dyna i gyd a gafwyd, a the wedyn ar ei ôl. Roedd Isaac yn rhy aflonydd i bendwmpian ac roedd yn hanner gwrando ar y carolau ar y weiarles gan gerdded weithiau tuag at y ffenest i edrych allan.

"*Nineteen sixty two* o'dd hi, pan gaethon ni'r eira mowr. Gollon ni gant o ddefed."

Sylwodd Owen ar Isaac yn troi ei ben i edrych ar ei dad.

"Ma nhw'n casglu, chi'n gweld, y defed. Yn whilo cysgod yn erbyn walie, neu mewn pante, a fan'ny ma'r gwynt yn lluwcho'r eira 'fyd. Yng nghornel y Fainc Ddu fan'na a draw yng nghesel Pen Cripie. 'Na le byddan nhw fory. Yn eu beddi, yn aros am y diwedd."

Roedd pob hyrddiad gan y gwynt fel pe bai'n boenus i Isaac.

"'Na le fyddech chi wedi bod 'fyd."

Roedd Enoch wedi pwyso ymlaen ac yn edrych arno fel pe bai'n ei weld o'r newydd.

"Chi fel 'se chi â'ch bryd ar bennu'ch hunan, gwlei."

Cododd Owen ei olwg yn siarp. Roedd hanner gwên yn chwarae ar wefusau Enoch. Meddyliodd Owen am ba mor agos at y gwir y bu ei eiriau unwaith.

"Ond 'na fe, chi 'di ca'l ail gyfle..." meddai Enoch gan eistedd yn ôl.

Roedd Isaac wrth y ffenest yn edrych allan erbyn hyn.

"Dere â hwnna 'ma, Isaac, inni ga'l cynhesu'r crwt 'ma," meddai Enoch wedyn.

"'Sdim ise, chi 'di neud —" dechreuodd Owen.

"Isaac, dere."

Edrychodd Isaac ar ei dad cyn cydio yn y botel wisgi o'r ddreser. Arllwysodd fesur i'r cwpan te gwag wrth ei ochr.

"Dere â chwpan i'r crwt 'te."

Safodd Isaac am eiliad a'i fysedd yn dynn am wddwg y botel wisgi. Yna, trodd ac estyn cwpan o'r ddreser. Edrychodd Owen ar y llawr wrth i Enoch arllwys ei wisgi yntau.

"Iechyd da," meddai Owen gan godi'i gwpan, "a diolch am ddod i chwilio amdana i."

Safodd Isaac yn stond.

"Whilo am y defed o'n i," saethodd yn ôl.

Roedd y teimlad yn dod yn ôl i gorff gwan Owen yn ara bach.

"Wrth gwrs 'ny," meddai Owen. "Beth o'n i'n feddwl o'dd, diolch am —"

"Mynd mas i'r eira fel'na fel rhyw iâr wyllt. Meddwl dim byd ambwti neb."

Teimlodd Owen y dicter yn codi ynddo ond allai e ddim â'i yngan, ac Isaac wedi ei achub o'r düwch. Roedd Isaac yn cerdded y llawr erbyn hyn.

"Isaac!" torrodd Enoch ar ei draws fel bwyell.

Safodd Isaac yn stond.

"Ti'n meddwl bod dim digon o waith 'da dyn i neud, heblaw rhedeg ar ôl rhyw blydi ffŵl fel ti?"

"'Na ddigon!" meddai Enoch gan fwrw blaen ei ffon ar y llawr. Roedd ei lais yn gryf gan ddicter.

Cododd Owen a dechrau gwisgo ei esgidiau gwlyb.

"Na, ma'n iawn. Mae e'n iawn."

Edrychodd Isaac arno, yn disgwyl brwydr, ac fe dynnwyd y gwynt o'i hwyliau gan gyfaddefiad Owen.

"Mae e'n berffeth iawn."

Gwrandawodd y tri ar y tawelwch am ychydig. Cododd Owen ar ei draed a throi am y drws.

"A lle chi'n mynd?" gofynnodd Enoch.

"'Nôl i'r bwthyn." Tynnodd Owen ei got wlyb oddi ar y bachyn ar bwys y drws.

"Na dy'ch, ddim heno."

Edrychodd Owen arno mewn syndod. Roedd Isaac wedi bwrw'i blwc ac wedi troi ei gefn.

"Allwch chi ddim mynd 'nôl heno. Bydd rhaid ichi aros fan hyn."

Gallai Owen weld nad oedd arwydd o wên ar gyfyl ei wyneb. Roedd e'n gwybod ei fod yn iawn.

"Bydd rhaid ichi aros nes iddi lonyddu."

Cydiodd Isaac yn ei wisgi gan droi a cherdded yn araf i fyny'r grisiau a mwmial yn dawel dan ei anadl. Eisteddodd Owen yn ôl i lawr. Aeth Enoch i nôl gobennydd a blanced iddo a dweud wrtho am gysgu yn y gadair ar bwys y tân.

Gwrandawodd Owen yn gysglyd ar Enoch yn golchi rhyw lestri yn y gegin gefn cyn troi am y grisiau ei hunan.

"Nos da," meddai'n dawel. Roedd yna ryw feddalrwydd anghyfarwydd yn ei lais.

"Nadolig llawen," meddai Owen wedyn, cyn gwylio Enoch yn diflannu'n araf i fyny'r grisiau.

16

Eira mawr

FE DDALIODD YR eira ei afael ar y mynydd am ryw dair wythnos. Bob bore, gallai Owen glywed Isaac yn dod wrth gyfarth ei gŵn a oedd yn dilyn ei sodlau. Cerddai i'r mynydd a'r rhaw a'i farryn dros ei ysgwydd i gloddio am y defaid fyddai wedi eu claddu dros nos. Weithiau byddai ei gefn yn grwm dan bwysau pwn o gêc. Bob bore safai Owen, yn barod i'w helpu, a bob bore byddai Isaac yn cerdded heibio iddo, heb edrych arno. Derbyniodd Owen ei gosb yn dawel gan fynd yn ôl i mewn i'r bwthyn.

Ond un diwrnod, ar ôl rhyw wythnos, a golwg flinedig arno, fe adawodd Isaac i'w lygaid lithro tuag at Owen heb ddweud gair. Roedd hynny'n ddigon o wahoddiad ac fe ddilynodd ôl ei draed o bell y tu ôl i'r cŵn. Edrychodd arno'n gweithio wedyn, yn darllen y mynydd, yn gwybod pa bantau y byddai'r defaid wedi eu ffafrio ar gyfer cysgodi. Byddai'r cŵn yn rhedeg yn wyllt yn ôl ac ymlaen, yn chwarae'r gêm, eu trwynau'n dawnsio ar hyd yr eira a'u cynffonnau'n aflonydd nes iddynt ddod o hyd i rywbeth. Llonyddu wnaen nhw wedyn a sodro'u trwynau i'r unfan. Byddai Isaac yn tyllu yn ofalus trwy'r lluwch, a ddwy waith o bob tair byddai'n dod o hyd i wlân, a llygaid duon. Dafad yn drwm o oen yn aros am ei thynged yn ufudd. Byddai'n halio'r corff cynnes allan wedyn gan obeithio na fyddai hi wedi cael gormod o sioc.

Yr un fyddai'r patrwm bob dydd, a'r eira weithiau'n symud fel tonnau'r môr ar hyd y tir, yn dyfnhau, yn ysgafnhau, yn mogi ac yn claddu. A bob dydd byddai'n rhaid porthi a chwilio, a'r un olwg bell ar wyneb Isaac.

Ar y trydydd diwrnod o'i wylio'n gweithio, fe drodd Isaac at Owen a thaflu rhaw ato. Edrychodd Owen mewn syndod ar honno wrth ei draed. Plygodd a chydio ynddi wedyn heb ddweud gair. Dilynodd Isaac a chydio mewn coes dafad, a'i helpu i'w thynnu o'i bedd rhewllyd. Dechreuodd balu'n ofalus weithiau hefyd, gan wneud yn siŵr fod Isaac yn cytuno ble i chwilio er mwyn arbed ychydig o fôn braich.

Ymhen ychydig ddiwrnodau, dywedodd Isaac wrtho am gyfarfod ag ef ar y ffald ben bore. Roedd yr eira wedi caledu ac wedi rhewi'n siapiau erbyn hyn. Cariodd y ddau bob i bwn i'r tir uchel a'u cefnau wedi plygu oherwydd y pwysau, a'r oledd. I ddechrau, roedd Owen yn rhwystredig gan arafwch Isaac ond erbyn diwedd y dydd, a phob owns o'i nerth wedi diflannu, gallai werthfawrogi pwysigrwydd ei bwyll.

Am hanner dydd, byddai'r ddau'n eistedd ar y cydau cêc gwag ac Isaac yn estyn brechdan iddo. Brechdan cig twrci fu honno am ryw wythnos ond *corned beef* oedd hi erbyn hyn. Enoch oedd wedi bod yn crasu'r bara, mae'n debyg. Byddai mwy o sŵn ar y mynydd erbyn hyn. Y dŵr yn dechrau dihuno. Y rhew yn colli'i frwydr gyda'r ffynhonnau a'r powdwr yn dechrau gwlypáu. Roedd lliw y tir garw'n dechrau britho'r eira fel lliw blew cwningen. Byddai'r ddau'n eistedd mewn tawelwch cyn i Isaac estyn fflasg o de du. Byddai dau gwpan enamel ganddo a byddai'n arllwys y te wrth wylio Owen yn taflu'r crystiau at y cŵn. Doedd y rheini ddim yn gyfeillgar, er eu bod yn ei adnabod erbyn hyn, ond teimlai Owen eu bod yn fodlon ei ddioddef.

Eistedd roedden nhw un diwrnod yn gwrando ar y gigfran yn aflonyddu'r tawelwch pan drodd Isaac ato.

"Beth wyt ti ise 'ma?"

Doedd Owen ddim yn disgwyl torri gair. Meddyliodd am eiliad.

"Galle rhywun fel ti fynd i unrhyw le. Beth o'dd ise i ti ddod ffor hyn?"

"Ise llonydd o'n i," meddai'n dawel. "Ise rhyddid."

Roedd rhyw anghredinedd yn ei lygaid nad oedd Owen wedi sylwi arno o'r blaen. Caeodd Isaac gaead ei fflasg â'i fysedd trwsgwl.

"Rhyddid?" gofynnodd Isaac i'r mynydd.

Nodiodd Owen.

"Do's dim rhyddid fan hyn," meddai wedyn gan daflu gweddillion ei de yn gynnes i'r eira.

Meddyliodd Owen am ei eiriau cyn codi unwaith eto. Roedd ei ysgwyddau'n dost ar ôl yr wythnosau o waith caled.

Ar ddiwedd y dydd, fe ddilynodd Owen Isaac i lawr y mynydd o flaen y cŵn. Trodd hwnnw ato a chymryd ei raw. Fyddai dim eisiau honno arno mwyach. Roedd Nant y Clychau wedi ei chwyddo gan ddŵr ac roedd ei sŵn yn atseinio o gwmpas y bwthyn. Roedd y drain duon i'w gweld trwy wynder yr eira a tho llechi'r bwthyn yn gloywi'n las. Nodiodd Isaac arno cyn chwibanu am y cŵn. Ymddangosodd y rheini wrth ei bigyrnau a gwyliodd Owen ffigwr Isaac yn ymbellhau wrth iddo gerdded at y tŷ. Roedd hi'n dechrau dadleth.

17

Ffin

ROEDD Y DŴR wedi nadreddu rhwng cerrig yr hen wal ac wedi chwyddo, gan ddisodli'r cerrig. Gorweddai'r rheini ar lawr driphlith draphlith, a phatrwm yr hen wal wedi ei sarnu. Bu Isaac yn eu hailosod drwy'r bore a chlecian y cerrig yn atseinio ar hyd y mynydd. Byddai'n gweithio'n ddiwedwst gan deimlo siâp y cerrig yn ei ddwylo a gwybod yn reddfol yn lle i'w hailosod. Byddai'n eu plethu yn ôl i wead y wal fel na allai Owen wedyn weld y gwahaniaeth. Casglu'r cerrig iddo wnâi yntau a'u gosod wrth ei draed wrth i hwnnw symud ymlaen ar hyd yr hen wal. Roedd yr eira olaf yn dal i lynu at y mynydd ac roedd dwylo Owen yn oer hyd at eu hesgyrn.

Doedd Isaac ddim yn siarad rhyw lawer wrth weithio am ei fod wedi bod yn gweithio yn bennaf ar ei ben ei hunan ers i'w dad gyrraedd ei henaint, ac oherwydd ei fod yn dal i ddod i arfer â phresenoldeb tawel Owen. Ond sylwodd Owen fod Isaac yn ei elfen ar y mynydd, ac er trymed y gwaith byddai rhyw ysgafnder bachgennaidd am ei wyneb pan fyddai i ffwrdd o'r tŷ. Esboniodd i Owen sut y byddai carfanau o fechgyn yn dod i godi welydd flynyddoedd yn ôl, yn casglu cerrig ac yn codi'r welydd a ymlwybrai ar hyd y mynyddoedd. Roedd ganddo fframyn pren ar gyfer gwneud siâp y wal ac fe fyddai'n symud hwnnw ymlaen wedyn a gweithio odano. Ond roedd blynyddoedd ers iddo godi un o'r newydd. Dim ond eu trwsio y byddai mwyach. Cerrig oedd ei bethau yntau, a phren oedd pethau ei dad, esboniodd. Fe wyddai hwnnw ba brennau oedd orau i'w llosgi a pha rai roddai wres oer. Byddai'r goeden falau yn llenwi'r tŷ â phersawr tra byddai coed bytholwyrdd yn diferu a phoeri hylif oren. Roedd ei dad, meddai, yn deall coed. Yn deall eu natur. Eu bywiogrwydd. Y cerrig mud oedd ei bethau ef.

Eisteddodd y ddau amser cinio ar y wal i siario'r tocyn ac fe synnodd Owen ei weld yn tynnu cwdyn o faco o'i boced ar ôl gorffen ei fwyd. Doedd e erioed wedi ei weld yn smocio o'r blaen. Llyfodd ochr y papur Rizla â min ei dafod cyn estyn y cwdyn o faco at Owen. Doedd hwnnw ddim wedi smocio ers amser coleg ond fe gymerodd ef beth bynnag, cyn rowlio sigarét. Eisteddodd y ddau mewn tawelwch yn gwylio'r mwg glas golau yn toddi i'r awyr, ac Owen yn gorfod peswch weithiau. Edrychodd y ddau ar y barcud coch oedd wedi dod i fusnesa uwch eu pennau.

"Ma nhw'n eu bwydo nhw nawr, ti'n gwbod..." meddai Isaac rhwng anadlu mwg y baco. "Y diawled twp." Roedd y barcud yn gwylio'r ddau a'i lygaid duon. "Glywest ti eriôd shwt beth? A gweud 'thon ni i godi unrhyw beth sy 'di trigo o'r mynydd."

Gwenodd Owen arno.

"Do's dim bwyd iddyn nhw wedyn... a ma rhywun yn ca'l job yn 'u bwydo nhw fel blydi ieir." Roedd gwên yn lledu ar wyneb Isaac. "A rhein yn gorffod dod *cap in hand* i hôl cig i ryw bobol o bant ga'l 'u gweld." Tynnodd Isaac fwg y baco yn drwm i'w ysgyfaint. "Druan â nhw."

Edrychodd Owen ar y barcud a meddwl am annaturioldeb y fath greadur yn gorfod dod i fegian am ei fwyd. Yna, daeth llais anghyfarwydd i dorri ar eu traws.

"Wel y myn yffarn i, mae'n braf ar rai!"

Trodd y ddau i weld ffigwr yr ochr arall i'r ffin. Roedd hanner gwên ar ei wyneb, a chi defaid wrth ei bigyrnau. Hedfanodd y barcud i ffwrdd. Taflodd Isaac ei sigarét ar lawr a chodi. Roedd Dei Clawdd Melyn yn edrych ar y wal. Roedd ganddo dun o dan ei gesail.

"'Co ti, ma Rosemary wedi bod yn cwca," meddai gan estyn y tun i Isaac. "Rhyw rysêt roiodd dy fam iddi, medde hi. Glywes i chi bore 'ma. O'n i'n meddwl byddech chi fan hyn."

Safodd Isaac gan edrych ar y tun am eiliad cyn estyn amdano.

"Nath y tywydd 'na helynt, yn do fe?"

Dal i sefyll wnaeth Isaac ac edrychodd Dei dros ei ysgwydd tuag at Owen.

"A hwn yw'r gwas newydd, ife? Clywed ei fod e'n un go lew."

Gwenodd Owen arno.

"Gobeitho bo nhw'n dy dalu di ddigon." Oedodd Dei am eiliad. "O'n i 'di meddwl ca'l gair ambwti'r ffin 'ma," meddai wedyn. "Wi 'di ffenso'n rhibyn i llynedd."

Roedd y ffin gyda Chlawdd Melyn yn estyn o waelod Hen Hafod hyd at Ben Cripie a byddai'r ffens yn cael ei hadnewyddu gan y naill neu'r llall mewn rhibynnau dros y blynyddoedd. Roedd Dei yn edrych ar Isaac, oedd â'r tun yn ei law.

"Os na allwch chi ddod i ben, allen ni ga'l contractor i neud e."

"Dim ffaelu dod i ben y'n ni," meddai Isaac yn siarp. "Wi'm yn siŵr os mai ni sy fod i neud."

Cododd Dei ei ben i edrych arno.

"Ond fe gytunodd dy dad gyda 'nhad i."

"Do fe?" gofynnodd Isaac. "Dim ond dy air di s'da ni ambwti 'ny."

Esgusodd Owen fynd i godi cwpwl o gerrig.

"Nawr dere, Isaac. Ma ise bod yn deg. Y'n ni wedi neud 'yn siâr."

"Ac ry'n ninne wedi neud hynny dros y blynydde hefyd. A pwy sydd ddim ise safio ceinog neu ddwy?"

"Be newn ni 'te? Edrych ar y welydd 'ma'n cwmpo'n bishys, a'r defed yn mynd yn ôl ac ymlân rip rap rip rap ffor hyn?" Roedd Dei yn dechrau cochi yn ei wyneb.

"Ni'm yn ca'l llawer o ffwdan, a nes bo ni'n setlo…"

"O'n ni *wedi* setlo…"

"Gwed ti."

Edrychodd y ddau ddyn ar ei gilydd am amser hir cyn i Dei droi a chwibanu am ei gi. Gwyliodd Isaac e'n mynd. Aeth yn ôl at godi'r wal a dyna lle bu'r ddau drwy'r prynhawn heb dorri gair.

Ar ôl cywiro hyd go lew o'r wal, fe safodd Owen ar bwys Isaac tra'i fod yntau'n trwsio'r twll yn y ffens weier yr ochr hyn i'r wal. Fe fwrodd bolyn tynnu i lawr â'r bâl, gan godi'r haearn dros ei ben a'i adael i gwympo â chlec. Yna, fe dynnodd ddarn o weier ar draws y twll a'i dynnu'n dynn â theclyn tynnu nes ei fod yn crynu gan dyndra. Gwyliodd Owen, gan geisio helpu a chadw mas o'r ffordd ar yr un pryd. Yna, fe estynnodd y staplau i Isaac er mwyn i hwnnw gael eu hoelio i'r polyn tynnu.

Ar ôl gorffen, roedd y twll ar gau. Ddeuai'r un ddafad drwy'r fan hyn, er fod gweddill y ffens yn edrych yn go sigledig. Cariodd Isaac ac Owen y teclynnau i gyd yn ôl i'r Land Rover mewn tawelwch. Ystyriodd Owen a ddylai ddweud rhywbeth am y ffin. Roedd Dei'n ymddangos yn hollol resymol ond fentrai e ddim yngan y fath eiriau â meddwl Isaac yn dal ymhell i ffwrdd ac yn corddi ar rywbeth. Taflodd Isaac y bâl i mewn i'r Land Rover a chau'r cefn cyn mwmial, "Cymydog gore gei di yw clawdd."

Roedd gwên grwca ar ei wyneb a gwenodd Owen yn ôl arno. Yna, neidiodd i mewn i'r Land Rover ac fe yrrodd Isaac i'r ffald.

18

Dŵr

BU'N RHAID I Enoch aros nes i sŵn y dŵr beidio. Bu'r nentydd yn ffyrnig gan wlypter am ddiwrnodau, a'r mynydd i gyd yn toddi. Cwympodd trymder o eira oddi ar y to, dros y landerau ac i'r ardd gul o flaen y tŷ. Roedd bryntni diwedd yr eira i'w weld ar y mynydd ac ar draws y ffald.

Cariodd y bocsys cardfwrdd i gornel yr ardd fach. Yna, un wrth un, daeth â'r cydau duon allan. Roedd y wardrob wedi ei rhannu'n ddau. Ar un ochr roedd ei siwtiau gorau, a'r brethyn sobr yn pylu yn y tywyllwch. A'r ochr arall roedd ei dillad hithau. Roedd y rheini o ddefnydd ysgafn ac mor swnllyd â ffair o ran eu lliwiau. Roedd hi'n hoffi patrymau a blodau ac er fod rhai o fenywod y pentre'n edrych arni i fyny ac i lawr weithiau, doedd dim ots ganddi hi. Gwisgodd ffrog felen ar ddiwrnod eu priodas a bu ei fam bron â llewygu wrth ei gweld. Gwanwyn oedd hi, meddai Hannah, ac roedd hi'n teimlo'n heulog. A gallai hi ei gwisgo eto. Cofiodd ddisgleirdeb y lliw yn erbyn gwynder ei chroen a düwch ei llygaid a'i gwallt. Fe dynnodd y dillad i fagiau duon a llenwodd un arall ag esgidiau. Esgidiau bob dydd ac ôl ei thraed ynddyn nhw ac esgidiau dydd Sul a dim ôl o gwbwl arnyn nhw a hithau wedi gwrthod mynd i'r capel ar ôl symud i'r tŷ. Esgidiau lliwgar gogyfer â rhyw briodas, a'r rheini'n matsio rhyw 'gostiwm'.

Roedd Enoch wedi bod yn ofalus i ddewis diwrnod pan fyddai Isaac wedi mynd i'r mart i werthu'r ŵyn olaf cyn i'r wyna ddechrau am dymor arall. Fyddai dim sôn amdano hyd yn hwyr. Byddai'n pwyso ar y peniau gwerthu, yn cadw iddo'i hun, heblaw ei fod yn adnabod rhywun, ac yna'n mynd i'r offis ar ôl y gwerthu, cyn gyrru'n ôl a galw yn y dafarn. Gwyddai Enoch wedyn y câi lonydd.

Doedd ganddi ddim gemwaith o werth, dim ond rhyw wats aur a gafodd gan ei mam pan oedd hi'n un ar hugain. A'i modrwy briodas. Plygodd Enoch y rheini mewn hen hances â staen arno a ffeindiodd yn ei boced, a'i osod yn ofalus yn nrôr y bwrdd bach ar bwys y gwely. Fe ddywedodd hi unwaith ei bod hi'n lwcus nad oedd ganddi ferch, gan na fyddai gemau drud ganddi i'w rhoi iddi. Cofiodd Enoch am fysedd Hannah wrth iddi orwedd yn y gwely y diwrnod olaf hwnnw. A pha mor rhwydd y llithrodd y fodrwy oddi ar ei bys, a hwnnw wedi teneuo a throelio ar ôl blynyddoedd o waith. Roedd marcyn lle roedd y fodrwy wedi gwasgu dros yr holl flynyddoedd, ac am ennyd teimlodd Enoch ei llaw hi yn ei law yntau y diwrnod y priodon nhw. Ei chroen yn llyfn a'i chnawd yn llawn, a gallai dyngu ei fod yn medru ei theimlo'n agos iddo am ychydig. Edrychodd ar ei ddwylo gwythiennog yntau cyn troi a chodi'r bagiau, a cherdded i lawr y grisiau am yr ardd.

Arllwysodd ddisel coch o hen botel bop a chynnau'r tân â chryndod yn ei fysedd. Roedd y cydau'n crino wrth i'r tân gydio. Ac o'r düwch gallai weld fflachiadau o liwiau bob yn awr ac yn y man. Codai'r fflwcs i'r awyr dros y tŷ ac edrychodd Enoch ar y ddwy goeden falau yn eu noethni, eu brigau esgyrnog yn estyn am rywbeth yn yr awyr. Yna fe welodd ffigwr, yn sefyll yn dawel wrth gât yr ardd. Owen. Ei groen fel petai'n wynnach trwy fwg a gwres y tân. Cywilyddiodd. Allai e ddim edrych arno trwy'i ddagrau. Synhwyrodd Owen lygaid Enoch arno a symudodd i ffwrdd. Syllodd Enoch yn ôl ar y gwres a theimlodd y blynyddoedd yn ei adael. Teimlodd wres Hannah.

Y lliw. Ac am eiliad caeodd ei lygaid a chafodd ei amgylchynu ganddi. Teimlodd wres y blynyddoedd. Ac wrth i'r tân gyrraedd ei anterth, daeth rhyw heddwch drosto. Gwrandawodd ar y fflamau'n sibrwd. Y cochni'n chwerthin. Y lliwiau'n dawnsio nes i'r tân gyrraedd ei anterth a chilio. Lleihaodd y gwres. Ac agorodd Enoch ei lygaid. Roedd croen ei wyneb yn oeri a mwg tywyll yn dechrau llosgi'i lygaid. Roedd y tân a'i cynhesodd yn diffodd, a theimlodd Enoch oerni'r gaeaf yn waeth oherwydd ei golled.

Roedd hi'n nosi pan ddaeth Enoch i'r tŷ. Caeodd y drws a sefyll wrth glywed sŵn llestri yn y gegin gefn. Safodd yn stond a gwrando. Roedd rhywun yn berwi'r tegyl. Roedd blinder yn llyncu Enoch ar ôl cario'r cydau duon at y tân.

"Hannah?" gofynnodd i'r tywyllwch. Roedd ei lais yn gryg gan fwg.

Daeth sŵn traed. Ymddangosodd ffigwr yn nrws y gegin gul. Gwallt golau. Llygaid glas. Owen. Cydiodd Enoch yn dynnach yn ei ffon a phwysodd ar yr hen wal. Daeth Owen ato a'i arwain yn ofalus at y bwrdd. Eisteddodd Enoch, ei lygaid yn chwilio am rywbeth yn y tywyllwch a'i law yn cydio ac yn ailgydio yn nolen y ffon. Daeth Owen â theboted o de at y ford ac eistedd i lawr.

"Wedodd Isaac gallen i ddod â dillad i olchi," meddai Owen.

Roedd hen beiriant yn y gegin gefn a gallai Owen fynd â nhw 'nôl wedyn i'r bwthyn i'w sychu o flaen y tân.

"Gobeithio bo dim ots 'da chi 'mod i wedi —"

"Ddylech chi fod wedi gofyn gynta," saethodd Enoch yn ôl cyn i Owen gael gorffen ei frawddeg.

Nodiodd Owen.

Teimlodd Enoch wres cywilydd yn cynyddu ynddo. Cywilydd ei wendid. Safodd Owen ac edrych arno.

"Fe glywes i bo chi wedi colli rhywun," meddai Owen yn ofalus. "Ma'n ddrwg 'da fi..."

"A beth ma ryw larpyn fel ti'n wbod am bethe fel'na, gwed?" Daeth y geiriau o enau Enoch cyn iddo sylweddoli.

Edrychodd Owen ar y llawr ac fe deimlodd Enoch rhyw edifeirwch o feddwl ei fod yn mynd i adael, ond mynd am y lle tân wnaeth e. Edrychodd Enoch ar ei gefn am ennyd.

"Golles i 'nhad pan o'n i'n grwt bach," meddai.

Gwyliodd Enoch ef yn casglu naddion cerfio'r noson cynt a'u gosod yn y grât. Gwasgodd hen bapur newydd rhwng ei ddwylo a gosod prennau ar ben ei gilydd. Safodd wedyn ac edrych o gwmpas y pentan. Roedd dwylo Enoch yn oer ac estynnodd i mewn i'w boced a thynnu'r matsis oddi yno. Gosododd nhw ar y ford o'i flaen a throdd Owen i gydio ynddyn nhw. Sylwodd Enoch fod ychydig o ôl gwaith ar ei ddwylo ifanc erbyn hyn. Plygodd Owen a chynnau'r tân. Ciliodd y tywyllwch ychydig. Daeth Owen at y ford ac arllwys te i Enoch, a mynd i eistedd yn y gadair godderbyn ag ef i syllu arno, fel y gwnaeth Enoch iddo yntau pan oedd Owen yn gorwedd yn glaf.

"Wi'm yn credu ddes i i'r tŷ eriôd heb fod tân 'ma."

Cadw i syllu i'r fflamau wnaeth Enoch.

"Hyd yn o'd yn yr haf, ma'r welydd 'ma mor drwchus. Mor oer."

Gwthiodd Owen blât o fara menyn tuag ato. "Ma'n rhaid i chi fyta."

Tynnodd Enoch ei lygaid oddi ar y tân a syllu arno am eiliad.

“Fuon ni’n hapus yn y bwthyn ’na,” meddai’n dawel.

Gwenodd Owen arno. “Galla i ddychmygu,” atebodd. “Wi’n teimlo fel ’sen i wedi bod ’na erioed.”

Roedd y tân wedi cydio ac yn dechrau lledu ei wres i’r hen stafell. Arhosodd y ddau mewn tawelwch am rai munudau.

“A shwt ma’r sgrifennu yn dod mlân?” gofynnodd Enoch wedyn.

Meddyliodd Owen am ei bapurau, y rhai oedd yn siapiau ac yn farciau i gyd ond bron heb ddim un llythyren. Dim un gair.

“Iawn,” meddai’n gelwyddog. “Mae’n dod.”

“Hannah o’dd yn darllen yn tŷ ni,” meddai Enoch wedyn a rhyw gwmwl yn dod dros ei olwg am eiliad. “Y fan yn dod lan pan galle hi yn yr haf. Fydde hi’n ca’l eu benthyca wedyn. Rhyw sagas. Nofele. Pethe fel’ny. Fydde hi’n dweud y stori’n fyr wrtha i wedyn. A’th hi’n forwyn yn beder ar ddeg, fydde hi’n siŵr o fod wedi bod yn sgoler ’se hi ’di ca’l cyfle. A phan eithe hi’n aeaf, fydde’r fan yn gadel llyfre iddi mewn hen ffwrn wal ar waelod y lôn. Fydde hi ar bige’r drain wedyn nes ’i bod hi’n ca’l mynd i’w hôl nhw.”

Roedd Enoch yn gwenu wrth feddwl amdani. Gwrandawodd Owen ar Enoch yn mynd trwy’i bethau ac wrth iddo wrando gadawodd i’w feddwl grwydro at y wynebau gwynion yn y lluniau ar y welydd. Pob un â thrwyn a thalcen tebyg. Doedd ganddo yntau ddim teulu mawr fel’na. Roedd ei deulu’n wasgaredig. Ymhell.

Roedd e wedi cynhesu erbyn hyn ac fe sylweddolodd fod Enoch wedi peidio â siarad. Sylwodd Owen ar gyrnau’r hwrdd yn gorwedd ar y bwrdd. Nodiodd Owen ei ben tuag atynt.

“Be newch chi â’r rheina?”

Gwenodd Enoch.

“Ffon. Bydd ise’u berwi nhw, ’u polishio nhw. Wi’m yn neud llawer o ffone rhagor. Ma’r hen wynegon ’ma yn y dwylo. Ond allen i ddim â gadel rheina i fod… Isaac ddoth â nhw i fi.”

Gwenodd Owen unwaith eto.

Wrth i Isaac ddod allan o’i gerbyd ar y ffald gallai glywed sŵn anghyfarwydd yn dod o’r tŷ. Sŵn chwerthin. Roedd y lampau wedi eu cynnau yn y ffenestri a’r rheini’n gwneud i’r nos y tu allan edrych yn oerach. Roedd y dafarn wedi bod yn dawel heno a dim ond dau neu dri ohonyn nhw’n eistedd yn ddiwedwst wrth y bar. Safodd a gwrando ar y ddau lais yn plethu’n hawdd i’w gilydd y tu mewn, ac arogl hen dân yn chwerwi yn aer y nos.

19

Tân

DAETH Y GWANWYN mewn mil o newidiadau bychain. Cynyddodd y siffrwd yn y groglofft wrth i'r ystlumod ddechrau llacio'u gafael ar ei gilydd a mentro allan i hela pryfed wrth y nant, gan daflu eu cyrff o gwmpas yr awyr. Gorchuddiwyd y ddraenen ddu mewn fêl o betalau gwynion fel les. Sylwodd Owen ar fwy o ganu yn y gwrychoedd ac roedd ei lyfr nodiadau yn llenwi â darluniau ac olion a marciau. Byddai Owen yn helpu Isaac yn y boreau. Roedd hwnnw'n dawelach nag arfer y dyddiau yma ond doedd dim gormod o ots gan Owen. Yn y prynhawniau byddai'n mynd i chwilio am y sgwarnog a welodd yn swatio ar bwys y bwthyn. Doedd e ddim wedi ei gweld ers bore Nadolig. Gofynnodd i Enoch lle byddai ei gwâl tanddaearol yn debygol o fod. Chwerthin ar ei ben wnaeth hwnnw cyn esbonio nad oedd sgwarnog yn tyllu ac mai ar wyneb y mynydd y byddai hi'n byw. Yn symud o un lle i'r llall yn ddigartref. Ei chyflymder fyddai'n ei hachub ac fe fyddai'n byw â'i chlustiau'n troelli'n barhaol i wrando am berygl. Bu Owen yn edrych amdani am wythnosau ond allai e ddim gweld ei siâp hi yn unman a dechreuodd feddwl mai dychmygu ei gweld hi wnaeth e yn y lle cyntaf.

Byddai'r mynydd yn chwilio am ei liwiau yr adeg yma o'r flwyddyn, a'r golau'n newid yn barhaol fel petai'r cyfan o dan ddŵr. Byddai'r borfa'n troi o wyrdd i arian gyda'r gwynt ac weithiau byddai aderyn yn cael ei ddal yng ngolau ambr yr haul. Byddai pig yr aderyn du pigfelen yn felyn sgald a'r briallu mwyaf swil yn codi eu hwynebau gwelw yn y coedydd gwlybion ar waelod y mynydd.

Roedd Owen wedi cael gafael mewn hen botiau a hen gafnau ac wedi eu llenwi â phridd. Er bod naws ynddi o hyd, fe resymodd y gallai eu llusgo i'r sied sinc os âi hi i rewi eto. Plannodd ychydig o datws a'u hegin yn y golau. Cariodd ddŵr iddyn nhw o'r nant a'u gosod yn obeithiol ar hyd wal ddeheuol y bwthyn. Plannodd ychydig o bys mewn hen dun hir a gosod hwnnw ar sil y ffenest tu fewn er mwyn i'r peli bach gael egino a chwilio am y golau. Gorweddodd wedyn ar y gwely cul a gadael iddo'i hun deimlo pob asgwrn yn ei gorff. Roedd ei gyhyrau wedi caledu, a'i groen wedi cael ychydig o liw o fod allan yn y gwynt a'r glaw.

Yna, agorodd ei lygaid. Daeth sŵn tasgu. Cododd a gwrando. Roedd yr awel wedi newid. Roedd rhyw ddüwch yn yr awyr. Cododd a mynd at y drws. Roedd hwnnw ar agor. Roedd y gorwel yn symud. Edrychodd eto. Cochni. Düwch. Gwres. Tynnodd ei esgidiau amdano a rhuthro allan. Cododd adar mân o'r brwyn mewn cawod o nodau. Roedd gwellt y bwla yn crino a chraclo ac yn cochi. Roedd y fflamau'n isel ac yn poeri unrhyw wlypter oedd ar ôl yn y porfeydd i'r awyr. Gallai weld cyfeiriau duon a'r tân yn symud yn un don tuag at y bwthyn. Y tu ôl i'r fflamau roedd y tir yn ddu a hen hadau'n dal i ffrwydro yn y gwres annioddefol. Aeth i'r tŷ a chydio mewn bwced cyn rhedeg at y nant ac ar draws y bont a honno'n siglo o dan ei gamau. Roedd ganddo ryw syniad o amddiffyn y bont ond roedd y wal o wres wedi dod yn ei erbyn a'r mwg llwydaidd yn codi i'r awel wanwynaidd. Roedd y cyfan yn crino. Yn llosgi'n ulw. Roedd y gwanwyn yn diflannu o flaen ei lygaid.

Dilynodd Nant y Clychau i fyny'r mynydd ac edrych yn ôl i lawr gan beswch. Gallai redeg i'r tŷ, efallai, ar hyd y lôn uchaf.

Dechreuodd drotian. Rhowliai'r mwg yn gyrliau trymion tuag ato a llosgodd ei lygaid a'i ysgyfaint. Dechreuodd redeg yn gynt ond roedd ei anadlau'n ddyfnach wedyn a'r mwg yn treiddio'n fwy i'w frest. Roedd y gorwel wedi ei fygu gan wres, a'r tŷ'n diflannu ac yna'n ailymddangos drwy'r mwg. Daeth haenen o chwys ar draws ei dalcen. Meddyliodd am yr adar bach. Ceiliog y mynydd. Meddyliodd am y sgwarnog ac oerodd ei galon. Fe gaen nhw i gyd eu llosgi. Eu mygu gan y fflamau.

"Sa ochr isha!"

Daeth sŵn gweiddi dros sŵn y llosgi. Safodd Owen a gwrando.

"Sa ochr isha!"

Chwiliodd Owen am y llais uwchben llarpio'r tân. Daeth ffigwr tywyll i'r amlwg drwy'r mwg.

"Fe droith y tân."

Gallai weld Isaac yn gwneud arwydd arno i groesi o flaen y fflamau. Edrychodd eto. Roedd y cŵn wrth ei sodlau'n crymanu yn ôl ac ymlaen wrth odre'r fflamau ac Isaac fel petai'n gyrru'r tân yn ei flaen fel rhyw ddiadell ddieflig o wres. Teimlodd Owen ei goesau'n wan. Rhedodd. Rhedodd y llinell goch a'r gwres yn llosgi un ochr o'i wyneb. Gallai deimlo'r mwg yn ceisio gafael ynddo. Rhedodd i waelod y clap a sefyll. Edrychodd am Isaac, a oedd yn sefyll yn stond yn y düwch drachefn. Symudodd y tân yn agosach at y bwthyn. Fodfedd wrth fodfedd ac yna'n rhoi naid wrth i wynt rowlio rhyw hen laswellt sych fel gwallt ymlaen droedfedd neu ddwy a hwnnw'n ffrwydro'n fflamau. Yna, dan lygaid Isaac, dyma'r tân yn troi, yn newid cyfeiriad, yn llifo'n annaturiol i fyny'r mynydd. Gwyliodd Owen y llinell goch yn mynd, a'i anadlu'n dal yn drwm.

Safodd Isaac a gwylio'r tân bygythiol. Roedd yn rhaid ei gynnau pan fyddai'r gwynt yn chwythu i'r cyfeiriad iawn a phan fyddai'r tir garw'n ddigon sych ond ddim yn rhy sych. Fyddai bois Peithyll byth yn llosgi am eu bod yn dweud ei fod yn agor y tir i sidan y waun a'r mwsog, ond dim ond egin welai Isaac ar ôl y tân. Byddai'r düwch yn tryloywi gydag amser ac yna'n glasu'n iach. Y tric oedd peidio â llosgi'n rhy ddwfn, peidio â llosgi'r waun. Os llosgech chi'r gwraidd, byddai'r mawn yn cydio a'r mynydd yn mudlosgi am fisoedd. Wrth gynnau yn y gwaelod, byddai'r tân yn iacháu'r ddaear yr holl ffordd i fyny'r mynydd ac yn arafu i stop naturiol ym mhorfeydd byrion y tir uchel.

Teimlodd Isaac wres y wisgi yn ei grombil. Roedd ei orwel yntau'n symud hefyd. Gallasai fod wedi rhybuddio'r bachgen ond fe welodd y ffon roedd Enoch wedi ei marcio yn gorffwys ar bwys y lle tân. Wedi dod â chyrn yr hwrdd i'w dad, fe deimlodd yn sicr mai ef fyddai'n ei chael hi y tro yma. Ond roedd hyd y ffon wedi ei marcio'n llawer rhy uchel iddo ef. Atseiniai chwerthin Owen a'i dad yn ei ben. Tynnodd y fflasg arian denau newydd o'i boced a chymryd llwnc. Roedd hi braidd yn gynnar i losgi hefyd ond roedd 'na ryw reolau newydd erbyn hyn. Er, doedd gan Isaac ddim llawer o ots am y rheol hon. Ym mis Mai y bydden nhw'n ei wneud flynyddoedd yn ôl, pan fyddai'r adar bach wedi dechrau plethu eu nythoedd i'r porfeydd. Pan oedd e'n fachgen, byddai Isaac yn erfyn ar ei dad i beidio. Ond sefyll fyddai raid iddo bob blwyddyn a gwres ei ddagrau'n llosgi'i lygaid, a sgrech yr adar yn wylo am eu nythoedd colledig yn atseinio yn ei ben.

20

Wyna

BYDDAI'R DEFAID YN wyna yn eu cynefin, yn tynnu at ryw bantau ac yn gorffwys eu gofidiau ar yr hen fynydd. Byddai'r ŵyn yn fach ac ar eu traed o fewn munudau, a'r unig ffwdan oedd yr hesbinod blwydd dau ddant fyddai'n wyna am y tro cyntaf. Doedd fiw ichi gerdded heibio i'r rheini heb sicrhau bod yr oen wedi sugno neu byddai'r fam wedi codi ar ei thraed a gadael ei hepil i'w dynged. Byddai cysgod y gigfran yn cwympo'n groes o'r awyr a honno'n tynnu'r dafod dyner o geg yr oen cyn pigo'i lygaid. Rhyfeddai Owen ar annaturioldeb y reddf famol.

Byddai Isaac yn cerdded Pwll yr Eidion a draw at Ben Cripie tra bod Owen yn cerdded y Fainc Ddu ac i fyny at y Creigiau Mawr. Fel hyn, byddai'r ddau'n medru cadw llygad ar y cwbwl heb groesi llwybr. Fe ddysgodd Owen enwau'r bencydd a'r ffeldydd, y pantau a'r wynebau, a llifent mor naturiol â dŵr o'i geg. Byddai'n medru cerdded yn araf at ddafad yn ei phoenau erbyn hyn ac adnabod y carnau fyddai'n gwthio o'i phen-ôl. Byddai'r rheini'n feddal ac yn dyner, heb galedu eto ar wyneb y mynydd. Byddai'n tynnu'r oen wedyn ac yn gwrando ar y ddafad yn tuchan wrth iddo lithro'r cnawd gwlyb o'i chorff. Yna, byddai'n troi'r oen ben i waered fel bod yr hylif yn llifo o'i ysgyfaint, cyn ei osod dan drwyn y ddafad ac aros i honno ddod ati ei hun ac archwilio'r oen bach â'i thrwyn. Byddai'n sefyll yn ôl wedyn, a'r hylifau'n oeri ar ei law, ac yn aros iddo godi. Weithiau, traed ôl oedd yno ac fe fyddai'n rhaid ei dynnu'n gyflym, ac weithiau byddai'r pen wedi ymddangos, a'r ddafad wedi bod yn gwthio yn ei erbyn gan wneud iddo chwyddo'n erchyll. Byddai'r dafod dew yn lolian o'r geg ond byddai modd achub yr ŵyn rheini os daliech chi nhw mewn pryd, a'u tynnu, er y byddent yn pendwmpian am amser ar ôl eu geni nes i'r chwyddo ddiflannu. Weithiau, byddai'r gymysgedd o goesau a phennau yn ormod i Owen, yn enwedig pan oedd mwy nag un oen, ac fe fyddai'n rhaid iddo glymu traed y ddafad a nôl Isaac. Deuai hwnnw wedyn a theimlo'r pos y tu fewn i'r ddafad yn ddiwedwst cyn dyfarnu beth oedd beth. Byddai'n eu tynnu wedyn, a'i lygaid ymhell i ffwrdd. Un tro, bu'n rhaid iddo wylio wrth i Isaac rowlio'i lewys i dynnu oen trig a hwnnw wedi dechrau pydru'n ddarnau. Rhoddodd Isaac bigiad i'r ddafad, a rhyw foddion, a rhoi dim ond hanner siawns iddi.

Heddiw, roedd y glaw yn yr awyr fel petai'n gloywi'r hwyrddydd, a'r dŵr yn gwneud i bopeth edrych yn gliriach, yn siarpach. Roedd Owen wedi bod ar y cerrig mawr ac wedi eistedd, yn aros i oen godi, yn gwylio'i fam yn rhychio'i wlân â'i thafod arw. Fe edrychodd mewn rhyfeddod ar y rhosynnau o liw fyddai'n blaguro wynebau llwydion y meini. Yn felyn ac aur a rhyw wyrdd glasaidd. Ac yna, a'r golau'n tryloywi, fe'i gwelodd hi. Y sgwarnog, yn pori yng ngolau ola'r dydd. Ei ffwr wedi ei oleuo gan gynhesrwydd yr haul. Safodd ac edrych arni, a hithau'n codi ei phen. Doedd Owen ddim wedi ei gweld ers dydd Nadolig. Roedd y tir garw a losgodd Isaac wedi dechrau glasu a'r adar wedi cronni'n ôl ar hyd y bencydd ond roedd y sgwarnog wedi bod ar goll o hyd. Meddyliai Owen amdani pan fyddai'r llwynogod yn galw yn y nos.

Ac yna, fe ymddangosodd, fel rhith, pan nad oedd Owen yn chwilio amdani. Gwenodd a theimlo cryndod cynnes ei chorff cyn iddi droi ei chlustiau a sgrialu i ffwrdd. Sythodd gwên

Owen. Roedd rhywbeth wedi ei hanesmwytho. Teimlodd yn ddig fod rhywbeth wedi tarfu ar ei gyfarfyddiad â'i hen ffrind. Trodd Owen ei ben. Roedd sŵn cyfarth yn y pellter. Fyddai Isaac ddim yno. Doedd e ddim wedi gweld hwnnw ers amser. Ar ddechrau'r wyna, byddai'n ei weld yn gadael y mynydd fin nos ar ôl tsiecio a oedd Owen wedi gwneud ei waith yn iawn, ond â'i dawelwch yn trymhau yn ddiweddar, doedd e ddim wedi ei weld ar gyfyl y mynydd ers wythnos neu ddwy. Byddai'n rhaid i Owen gerdded i ochr arall y mynydd bob yn eilddydd er mwyn bugeilio'r defaid yn y fan honno hefyd.

Cerddodd Owen ymlaen tuag at Lechwedd Rhedyn a'r cyfarth yn dal i atseinio drwy'r llechweddi. Gallai glywed sŵn anadlu dwfn. Ci Peithyll oedd yno. Heb goler. Wedi cornelu hesbin a suddo'i ddannedd i wlân ei gwddwg. Roedd llygaid honno'n rowlio'n wyn yn ei phen. Neidiodd calon Owen. Doedd ganddo ddim ffon, dim gafael. Rhoddodd waedd ond roedd y gwaed wedi mynd yn glefyd ar y ci a hwnnw'n gwledda ar y perfedd cynnes. Ciciai'r ddafad yn ddiymadferth. Cydiodd Owen yng ngwar y ci a neidiodd hwnnw mewn sioc o deimlo llaw arno ac yntau ar goll yn ei chwant. Roedd gwaed yr hesbin yn codi'n swigod yn ei gwddwg gyda phob anadliad. Tynnodd Owen gordyn beinder o'i boced a'i glymu am wddwg y ci. Llusgodd ef tua'r ffald a'r euogrwydd yn gochni llachar ar flew ceg y ci. Edrychodd Owen dros ei ysgwydd ar y ddafad; fyddai hi ddim yn hir.

Clymodd y ci wrth gât y ffald a cherdded am y tŷ. Enoch oedd yno, a golwg flinedig arno. Gwrandawodd yn dawel ar eiriau Owen cyn sôn ei fod wedi adnabod natur y ci adeg hela mis Medi. Gofynnodd Owen ar ôl iechyd Isaac a mwmiodd Enoch rywbeth nad oedd wedi bod yn dda. Meddyliodd Owen am eiliad iddo glywed sŵn traed ar y landin. Estynnodd

Enoch gildwrn i Owen o boced ei wasgod oherwydd y gwaith ychwanegol roedd wedi ei wneud. Pocedodd Owen y rholyn o bapurau'n dawel a throi am y ffald. Gorweddai'r ci â'i wddwg yn sownd i'r gât a'i fol yn drwm o gig. Edrychodd Owen ddim arno wrth basio a bwrw am y bwthyn. Er fod y diwrnodau'n ymestyn ychydig, roedd hi'n dechrau nosi, a'r glaw a oedd wedi harddu'r mynydd yn awr yn dechrau salwyno'r ffald gyda'i bigiadau oer. Ar fin croesi Llechwedd Rhedyn oedd e, yn rhyfeddu ar wyrddni newydd hwnnw yng ngolau ola'r dydd, pan glywodd yr ergyd. Y fwled yn taro'r corff meddal a hwnnw'n dal i hongian wrth ei wddwg ar y gât. Tynnodd Enoch y dryll oddi ar ei ysgwydd a gwylio Owen yn ymbellhau drwy'r glaw.

2 1

Helfa mis Mai

Roedd y defaid wedi eu hel o'r mynydd ac Enoch yn arllwys y te o'r fflasgiau i gwpanau ar bwys y parc. Roedd y sŵn yn fyddarol a'r cŵn â'u cegau ar agor a'r poer yn glafoerio o'u tafodau ar ôl y rhedeg. Hon oedd helfa wyllta'r flwyddyn, a'r ŵyn heb eu casglu o'r blaen. Eisteddai Jâms Peithyll ar ben hen sach wlân a'i lewys wedi eu rholio i fyny. Roedd Robert ar ei bwys, yn syllu'n ddiwedwst ar y stêm yn codi o'r te a cholled y ci yn pwyso'n drwm ar ei dafod fud.

"A lle ma Isaac heddi 'te?" gofynnodd Jâms.

Eisteddai Enoch ar garreg y gât yn miniogi ei gyllell â charreg hogi. Chododd ei lygaid ddim. Roedd ei lais yn llyfn.

"Rhyw annwyd arno fe."

Edrychodd Owen arno ond edrychodd yntau ddim yn ôl. Chwythodd Enoch y llwch o'r gyllell. Ar ôl casglu'r defaid o'r mynydd roedd Enoch wedi cerdded y rhes. Byddai Owen yn dod ar ei ôl wedyn a photyn o baent glas. Pan fyddai Enoch yn gweld dafad â nod clust ddierth, byddai'n nodio ar Owen a hwnnw'n gorfod rhoi nod glas o flaen cadair y ddafad. Roedd hi'n amser te wedyn ac fe wyddai Enoch, erbyn iddyn nhw orffen ei yfed, y byddai'r ŵyn dierth wedi bod yn sugno, ac ar ôl bwtio'r gadair wedi cael marcyn o nod ar eu pennau hwythau. Tasg hawdd fyddai hi wedyn i wahanu'r defaid a'r ŵyn dierth oddi wrth ei ddiadell ef.

Yfodd y pedwar mewn tawelwch. Roedd Enoch wedi rhybuddio Jâms am y ci roedd e wedi'i saethu. Pan ddaeth i nôl y corff, fe welodd y gwaed ar ei ên â'i lygaid ei hunan, ond anesmwyth yr eisteddai ar y sach wlân serch hynny.

Roedd mis Mai wedi llonni'r mynydd a'r gwenoliaid wedi cyrraedd i lenwi'r aer â'u cleber cysurus. Roedd yr haul wedi cynhesu hefyd ac fe deimlent ei wres ar eu talcenni. Taflodd Enoch weddillion ei de ac roedd hynny'n arwydd i'r lleill wneud yr un peth.

Glanhau cadeiriau'r defaid roedd Robert, a phlygu wrth y peiriant cneifio am fod ei gefn yn ifancach. Torri fyddai Jâms ac Enoch a dal fyddai gwaith Owen. Cododd rhythm rhwng y tri. Owen yn codi'r ŵyn ar hen farel, ac Enoch a Jâms yn torri gwennol bwlch a chilhollt i'w clustiau â'u cyllyll. Siglai'r ŵyn eu pennau ar ôl eu torri, a'r gwaed yn llifo i'w llygaid. Roedd ffedogau a breichiau Enoch a Jâms yn waed i gyd a chroen eu gwarrau yn cochi yn y gwres. Yna, fe sylwodd Owen ar ddwylo Enoch yn arafu. Sythodd ei gefn. Gwelai ffigwr yn dod o'r pellter. Yn hercian. Daliodd Owen ati i ddal ŵyn i Jâms. Gollyngodd Enoch ei gyllell a cherddodd i gyfarfod ag Isaac.

Gallai'r tri glywed eu lleisiau anniddig dros y brefu ac er eu bod yn cario ymlaen â'u gwaith, roedd bois Peithyll yn glustiau i gyd. Gallai Owen weld ffigwr meddal Isaac, a hwnnw'n anwadal. Roedd cyhyrau corff Enoch wedi caledu a'i gefn yn syth. Roedd ei lais yn gryfach ac yn ifancach rywffordd yn ei dymer.

"Cer gatre, ti'n clywed?"

Am eiliad, roedd cryfder ei lais yn ddigon o esgus i'r tri godi eu llygaid. Roedd busnes y ci wedi ei hen anghofio a'r sioe hon yn werth ei gweld. Roedd ffon Enoch yn crynu'n beryglus yn ei law. Edrychodd hwnnw i fyw llygaid Isaac. Roedd ei frest yn tynnu ar ôl ymdrech y bore. Gwrandawodd y pump ar y defaid yn brefu a straffaglodd yr oen ym mreichiau Owen.

Yna, o'r diwedd, dyma Isaac yn troi, yn ffoi yn ôl at y tŷ.

Safodd Enoch am eiliad a'i gefn tuag atyn nhw cyn troi'n ôl at y parc ac ailgydio yn y gyllell. Cwympodd pennau pawb yn ôl at eu gwaith. Sylwodd Enoch fod ei ddwylo'n crynu yn ei dymer. Cydiodd Owen yn gyflym yn ei gyllell gan fwmian rhywbeth bod angen ei hogi eto. Rhoddai hyn amser i Enoch sadio'i hun cyn i Jâms sylwi gormod. Rhoddodd y gyllell yn ôl iddo wedyn ac edrychodd Enoch arno cyn troi'n ôl at ei waith. Gweithiodd y pedwar am rai munudau.

"Os chi'n gofyn i fi," meddai Jâms o'r diwedd, a'r demtasiwn yn ormod iddo, "y peth gore at annwyd yw totyn bach o wisgi..."

Teimlodd Enoch y gwres yn ei wyneb a'i wddwg ond daliodd ati, gan dorri'n ffyrnicach i'r cnawd.

Erbyn i Enoch gyrraedd y tŷ, roedd ei ddillad yn waed i gyd a'i groen yn hallt o'r gwres. Roedd hwnnw'n pylu erbyn hyn, a thawelwch a thywyllwch y tŷ yn falm iddo. Roedd Isaac wedi ffoi'n ôl i'r dafarn. Safodd Enoch yn ffenest cegin y tŷ gwag yn gwylio golau oren ola'r machlud yn taflu cysgodion glas tywyll ar hyd yr ardd. Roedd ei ddwylo a'i ysgwyddau'n gwynio ac fe deimlodd am eiliad iddo golli gafael arno'i hun. Cydiodd yn dynnach yn y ffon. Gwasgu ei sicrwydd yn ei fysedd. Ac yna, fe sylwodd ar y ddwy goeden falau. Y pren yn dduach yng nghynhesrwydd y golau. Roedd un yn gwisgo coron o flodau. Blodau gwynion lliw croen merch ifanc. Syllodd Enoch drwy wydr y ffenest. Roedd Hannah wedi bod yn iawn i roi'r lludw iddi. Edrychodd Enoch ar y petalau bregus. Ac un goeden yn peillio'r llall, fyddai ganddi ddim gobaith dwyn ffrwyth, ond roedd hi'n galw ar ei phriod mewn gobaith yn y tywyllwch.

22

Oen colledig

ROEDD BOIS PEITHYLL wedi mynd â'u defaid adre o'r lloc ar bwys y parc ar ôl y tocio. Roedd rhyw ddwsin arall ar ôl. Cyn amser y ffensys byddai'r defaid wedi cymysgu lawer yn fwy rhydd a rhai diadelloedd yn well na'i gilydd am sefyll yn eu cynefin. Ond hyd yn oed heddiw, byddai dafad styfnig yn dod i ben â gwthio'i hunan o dan ryw ffens neu guddio mewn rhyw goetir. Cynigiodd Owen fynd â nhw yn ôl i'w ffermydd priodol ond fe ddywedodd Enoch wrtho am adael iddyn nhw ddod i'w nôl.

Roedd Owen wedi cerdded i'r ffald i weld a allai helpu pan welodd Isaac yn dod allan o un o'r siediau. Safodd y ddau yn stond, cyn cael eu hachub gan sŵn Land Rover. Rhegodd Isaac dan ei anadl.

"Beth yffarn ma hwn ise 'to?"

Daeth y Land Rover i stop a chamodd Dei Clawdd Melyn i'r ffald. Sylwodd Owen fod ei welingtons yn rhy fawr iddo. Cociodd ei ben ar Isaac ac Owen cyn cerdded at y lloc. Dilynodd Isaac ef. Safodd Dei ac edrych ar y defaid.

"'Na i gyd o'dd 'na?"

Pwysodd Dei ar y lloc a chymryd ei amser. Tynhaodd gên Isaac. Cododd Dei ei gap fel caead a chrafu gweddillion ei wallt â'i fys bach.

"Wi'n siŵr bod rhyw ddwsin neu fwy ar goll," meddai wedyn. "Ma'r ffens 'na mor anwadal..."

"Wel, dy'n nhw ddim fan hyn," torrodd Isaac ar ei draws.

Gallai Owen weld y chwys ar dalcen Isaac. Roedd ei lygaid yn goch, y marcyn geni â rhyw wawr borffor arno.

"Wel, lle arall ma nhw 'te?" gofynnodd Dei gan sefyll yn sythach. "Wi'n ddigon parod i fod yn rhesymol, Isaac, ond arglwydd, dyw'r ffens 'na'n dda i ddim, a ni'n colli'n stoc…"

"Wel, ffenswch hi 'te," atebodd Isaac.

"Wi'm yn gweld pam ddylen ni."

"Wel, chi sy'n gwenwyno…"

"Drycha, ni'n gwbod bod pethe wedi bod yn anodd ichi'n ddiweddar 'ma…"

"Be wedest ti?"

"Wel, colli Hannah fel'na, ond ma…"

"Paid ti mentro dod â rhyw bethe fel'na miwn i hyn…"

"Ond ma rhaid symud mlân, yn do's e?"

"Symud mlân?"

"Wel, o's… Ti 'di ca'l amser caled."

"A bai pwy yw 'ny? E?" gofynnodd Isaac a'i ysgwyddau'n lledu ychydig.

Camodd Dei am yn ôl.

"O't ti'r un peth yn yr ysgol, yn hen snichyn bach, yn wên i gyd yng ngwyneb rhywun, a wedyn Duw a ŵyr be ddwedet ti tu ôl i'w gefen e. Yn cario clecs a dweud rhyw stori ac esgus trueni wedyn. Yn gweud un peth 'tho hwn a peth arall 'tho'r llall."

Syllodd Dei arno cyn i wyneb hwnnw droi'n wên grwca. "Ti'n meddwl 'ny?"

"Dim ond i ga'l dy ffordd dy hunan."

"A fe ges i, yn do fe?"

Yn sydyn, fe gydiodd Isaac yng ngholer Dei. Sythodd wyneb hwnnw mewn sioc.

"'Na fe, bwra di fi, os ti ise."

"Ddylen i 'di neud flynydde'n ôl."

"Isaac?"

Roedd Owen wrth ysgwydd Isaac.

"Bwra di fi," meddai Dei eto. "Un fel'na ti 'di bod eriôd, ondife? Os na gei di dy ffordd. Gwna di fe. Dangos di dy liwie."

Roedd Isaac yn chwythu'n ddwfn a gallai Owen arogli hen chwys a chwrw arno. Roedd ei ddwrn yn crynu dan ên Dei. Roedd hwnnw wedi mynd i edrych yn llawer llai.

"Gwna di fe," meddai Dei eto, a'i lygaid yn culhau. "Ma pawb yn gwbod beth wyt ti'r diwrnode 'ma."

Roedd Isaac wedi codi ei ddwrn arall ac roedd yn barod i guro Dei ar draws ei wyneb. Roedd hwnnw'n gwelwi.

"Isaac, plis," meddai Owen.

Cydiodd yn ei ysgwydd a symudodd Isaac dan ei gyffyrddiad.

"Paid ti!" cyfarthodd.

"Ti'n well na hyn," meddai Owen eto.

Safodd y tri mewn triongl a holl nerth Isaac ym môn ei fraich. Yna, llaciodd ei gyhyrau a llaesodd ei afael ar Dei. Sythodd hwnnw ei goler ac edrych ar y ddau o'i flaen â llygaid cul.

"Gallen i fynd mlân â ti am hyn… galle'r crwt 'ma weud y cwbwl," meddai, gan gyfeirio at Owen.

Roedd cot o chwys ar ei dalcen yntau hefyd.

"Na allech ddim," atebodd Owen, "achos weles i ddim byd."

Roedd Isaac yn edrych ar y llawr â'i gefn yn grwm. Meddyliodd Owen iddo weld gwlyborwch o gwmpas ei lygaid. Trodd Dei a chamu heibio iddynt gan yngan rhywbeth o dan ei anadl. Gwrandawodd Owen ac Isaac ar y Land Rover yn tanio ac yna'n ymbellhau.

"'Nes di'r peth iawn," meddai Owen yn dawel. "'Na beth o'dd e ise."

Gwrandawodd Isaac arno am ennyd cyn codi ei ben i edrych arno.

"Ond dim 'na beth o'dd e'n haeddu," meddai gan gerdded heibio iddo a diflannu i'r ffald.

Edrychodd Owen arno'n mynd, a dros ei ysgwydd gallai weld llygaid Enoch yn syllu arno drwy ffenest y tŷ.

2 3

Eden

ROEDD Y FFON fugail wedi ei gadael ar stepen y drws. Cydiodd Owen ynddi a theimlo oerfel a llyfnder y pren. Rhaid bod Enoch wedi bod yno cyn iddi wawrio'n iawn, ac nad oedd eisiau croesi'r hen lechen i mewn i'r bwthyn. Gwyddai Owen na fyddai am iddo roi diolch iddo, beth bynnag. Roedd y ddolen wedi ei gwneud o gorn hwrdd a hwnnw wedi ei ferwi a'i feddalu cyn ei siapio a'i lyfnhau. Erbyn hyn, roedd yn hufennog fel lliw gwlân. Roedd y ffon yn gytbwys yn ei law ac yn teimlo'n braf dan ei fysedd. Gwenodd.

Bellach, roedd ei lysiau wedi dechrau egino o gwmpas y bwthyn ac roedd Owen wedi hoelio rhyw brennau at ei gilydd er mwyn gwneud mainc iddo'i hun. Byddai'n eistedd arni gyda'r nos yn gwylio'r machlud, a drws y bwthyn led y pen ar agor.

Roedd y mynydd yn egino hefyd ac fe fyddai Owen yn ei gerdded yn aml pan gâi amser. Roedd blodau'r ysgawen yn ewyn hufennog ond harddach fyth oedd blodau'r mynydd. Roedd eu petalau mor denau â phapur a phetaech chi'n dilyn coesyn byr y blodyn i'r ddaear, byddai gwreiddiau tewion fel hen bren yr oesoedd yn angori ac yn cynnal y blaguryn bach. Dros y mynydd i gyd, islaw'r wyneb, roedd gwe o wreiddiau a allai wrthsefyll eira a thân. Byddai blodau'r mynydd yn cadw eu pennau'n isel er mwyn goroesi wrth gripian ar hyd wyneb yr hen ddaear. Byddai gwahanol fathau o fwsog yn carpedu'r llechweddi hefyd, ac amryw o ddeiliach a blodau'n ddigon i lenwi llyfrau nodiadau Owen i gyd. Rhai â blodau fel siâp sêr, eraill â blaguron crwn fel planedau bychain ac yn teimlo fel sidan dan eich bysedd.

Gwelai Owen y sgwarnog yn fwy aml hefyd. A'i lygaid wedi dod i arfer â chwilio am ei ffurf, byddai'n ei gweld bob dydd yn erbyn y brwyn ac roedd yn gyfarwydd â'i phatrymau dyddiol erbyn hyn. Adnabyddai'r pantau y byddai hi'n eu mynychu. Lle byddai hi'n pori. Ond y sioc fwyaf iddo oedd gweld ei bod wedi esgor ar bedwar o sgwarnogod bach. Doedd hi'n gwneud braidd dim sylw ohonyn nhw, dim ond ymweld â'r pant wrth y clawdd o ddrain duon unwaith y dydd pan fyddai'r haul yn machlud er mwyn eu bwydo. Yna, byddai hi'n diflannu. Erbyn hyn, a'r rheini'n rhai wythnosau oed, roedd ei hymweliadau â nhw'n lleihau eto a chyn bo hir fe fydden nhw ar eu pennau eu hunain. Edrychai Owen amdani bob dydd a byddai rhyw dyndra yn ei frest nes y gwelai ei siâp lluniaidd. Byddai e'n ffaelu'n deg â gorffwys nes gweld ei bod hi'n ddiogel. Weithiau, yn y nos, fe fyddai hi'n bowndio trwy ei freuddwydion, yn sefyll ac yn gwrando ac yn crynu trwy'r tywyllwch. Yn berffaith yn ei hamddifadrwydd. Byddai'n dihuno wedyn mewn chwys ac yn mynd allan i edrych amdani.

Yr agosaf y deuai Owen at ysgrifennu y dyddiau yma oedd cyfansoddi ambell lythyr at ei fam. Doedd e ddim yn siŵr pam chwaith, ond roedd yn mwynhau'r wâc i lawr oddi ar y mynydd ac i'r blwch postio ar yr hewl fawr weithiau. Byddai'r cerdded yn cymryd y rhan fwyaf o'r bore. Dilynai Nant y Clychau a neidio'r gwteri a'r pyllau er mwyn cyrraedd yr hewl fawr. Fel hyn, ni welai'r un enaid byw a châi'r adar a'r anifeiliaid i gyd iddo'i hun. Byddai cyfarfod â rhywun yn ddigwyddiad anghyffredin er, wrth i'r tywydd wella, gwelai ambell gerddwr o bell â'i ffon gerdded a'i bac ar ei gefn. Cerddai'n ôl wedyn gan gymryd ei amser, ac aros weithiau ar bwys pwll yn y nant neu ar bont i wylio'r dŵr yn llifo heibio. Fyddai e ddim yn mynd i lawer o fanylder wrth ei fam chwaith. Dim ond dweud ei fod yn iawn. Gallai ei dychmygu yn darllen ymysg prysurdeb ei theulu newydd. Meddyliodd weithiau am ddanfon nodyn at ambell hen ffrind ond doedd ganddo ddim llawer yn gyffredin rhagor â'r rhai fu yn y coleg gydag ef a doedd e ddim yn gwybod sut roedd dechrau esbonio ei fywyd newydd i'r dyrnaid o ffrindiau bore oes fu ganddo, a llawer un o'r rheini wedi ymbellhau dros y blynyddoedd diwethaf.

Roedd pob sgrap o'i lyfr nodiadau wedi ei lenwi erbyn hyn â'r hyn a welai o'i gwmpas. Patrymau hedfan y fwyalchen. Hoff bantau'r sgwarnog. Y drefn yr ymddangosodd deiliach y gwanwyn. Lluniau o nythod y gwenoliaid, a'r rheini'n adeiladu cwpanau celfydd dan lander yr hen fwthyn. Doedd dim papur nodiadau ganddo ar ôl i ysgrifennu rhagor. Dim sgrap ac, am ryw reswm, doedd ganddo ddim awydd prynu rhagor chwaith.

Pan gâi'r amser, byddai'n tendio'r llysiau, yn cario dŵr i'r tatws a oedd yn glystyrau gwyrddion o ddail erbyn hyn, ac yn dyfrio'r pys. Roedd y rheini wedi eu plannu mewn hen fwcedi ac Owen wedi eu clymu at ffyn a gasglodd o'r clawdd onnen. Roedd y planhigion wedi tynnu adar mân i'r ardd a byddai'r rheini'n amgylchynu'r bwthyn â'u cân bob bore. Sylwodd fod y moron yn dod hefyd, er ychydig yn araf, a bod y cyfan i'w weld yn eithaf iachus am nad oedd hen glefydau yn y pridd a chymaint o adar bach i fwyta unrhyw bry a fentrai godi ei ben. Roedd dryw bach wrthi'n adeiladu nyth ym môn yr hen ffawydden ac fe wyliai Owen hi'n glanio wrth y clawdd ac yn edrych o gwmpas am unrhyw berygl cyn diflannu i'r gwrych.

Eistedd y byddai wedyn gyda'r nos yn gwrando ar yr ystlumod yn dechrau meddwl am glwydo, ac ar anadlu'r mynydd. Roedd yr aer yn blasu'n wahanol â'r holl baill euraid a fyddai'n drwch yn yr awyr o gwmpas y goedwig ac ar noson dawel, ar yr hen awel, byddai'r powdwr melyn yn pingo. Roedd y mynydd yn drwm o ffrwythlondeb ac am y tro cyntaf ers misoedd teimlai Owen ei fod yn union lle roedd e fod. Daeth rhyw dawelwch drosto. Teimlai, am y tro cyntaf ers blynyddoedd, yn gysurus. Tynnodd y ffon i'w gôl ac edrych arni unwaith eto. Roedd hi'n ddarn o gelf ac yn arf. Cododd hi i'w lygaid ac edmygu ei llinell syth. Doedd e erioed wedi gweld unrhyw beth mor gelfydd. Doedd diolch amdani ddim yn ddigon rywffordd. Gwyddai mai'r unig beth y gallai ei wneud oedd dangos ei werthfawrogiad trwy ei defnyddio.

Roedd hi'n machlud. Meddyliodd am ennyd am Isaac. Ei wyneb. Y casineb a welodd y diwrnod hwnnw y llosgodd y mynydd. Arogl sur y wisgi. Crymder ei gefn pan fu bron â bwrw Dei Clawdd Melyn. Y cryndod yn ei ddyrnau. Pwysau'r atgasedd oedd ynddo, a oedd yn bygwth ffrwydro ohono weithiau fel y cyflymdra yng nghoesau'r sgwarnog. Cymylodd llygaid Owen am ychydig. Byddai'r sgwarnog yn dod at y clawdd cyn bo hir i fwydo'r sgwarnogod bach, cyn eu gadael. Chwiliodd Owen amdani a'i gweld yn gwasgu ei chorff at y llawr, a'i chlustiau hirion yn gorwedd ar hyd ei chefn. Fyddai hi ddim yn symud ei llygaid hyd yn oed pan fyddai hi'n cuddio.

Yna, ar y gorwel, yn symud yn dywyll rhwng yr haul ac yntau, fe welodd Owen ffurf. Cododd, gan roi'r ffon i lawr wrth ei ochr. Edrychodd eto. Llwynog tywyll yn sefyll yn y golau melyn ac yn syllu i lawr am y bwthyn. Safodd y sgwarnog yn llonydd yn ei hofn. Roedd hithau wedi ei synhwyro ymhell cyn i Owen ei weld. Doedd Owen erioed wedi gweld llwynog mor agos â hyn i'r bwthyn. Aeth rhyw gryndod trwyddo. Gwyddai y gallai weiddi ond fe fyddai hynny'n debygol o godi ofn ar y sgwarnog gan ei gyrru'n syth tuag at enau'r llwynog. Safodd y tri, yn aros i rywun symud, ac ar ôl ennyd a deimlai fel oes, fe deimlodd Owen wres yr haul yn cilio; trodd y llwynog a gadael y tywyllwch ar ei ôl.

24

Y goeden falau

Er fod y gwanwyn wedi aeddfedu a'r goeden falau yn yr ardd yn drwch o ddail iachus, roedd Enoch yn cysgu llai y dyddiau yma. Byddai'n gorwedd yng ngolau gwan y bore bach a'i feddwl yn llawn wynebau'r hen bobol. Ymddangosai un ar ôl y llall yn syllu arno drwy'r düwch nes bod yn rhaid iddo godi a gwisgo a cherdded i lawr y grisiau i ferwi'r tegyl. Byddai Isaac bob tro'n hwyr yn codi ac yntau wedi bod yn y dafarn hyd berfeddion. Eisteddai wedyn, yn edrych allan ar yr ardd a'r gwyrddni yn gwasgu arno.

Bu'n twtio o gwmpas y tŷ hefyd. Yn tynnu clwtyn dros y llwch gwaethaf ac yn brwsio'r lludw at ei gilydd yn y lle tân. Fe dynnodd y llestri oddi ar y ddreser a'u dwstio cyn eu rhoi'n ôl yn ofalus un wrth un. Er ei ymdrechion, doedd dim yr un sglein ar bethau â phan fyddai Hannah wrth ei gwaith ac roedd pethau'n edrych braidd yn ddyran. Rhoi'r clytiau'n ôl o dan y sinc oedd e pan welodd y ddwy botel wisgi. Tynnodd nhw oddi yno ac ymladd efo'u caeadau cyn arllwys cynnwys y ddwy i lawr y sinc. Roedd y botel ar y ddreser heb ei chyffwrdd. Taflodd y poteli gwag i'r sbwriel a rhedeg y tap dŵr poeth am ychydig i gael gwared ar yr arogl. Fyddai ei dad yntau ddim yn yfed o gwbwl ac roedd yn ffyrnig yn erbyn y peth. Cofiodd i'w fam erfyn arno i fynychu rhyw briodas rywbryd ond am fod y brecwast yn cael ei gynnal mewn gwesty a chwrw ar gael yno, fe ballodd yn blanc. Bu'n rhaid iddi fynd ar ei phen ei hunan yn y diwedd. Pwysodd Enoch ar y sinc a gwrando ar y dŵr.

Roedd y dafarn yn dynfa i'r dynion erbyn hyn; â'r taliadau'n weddol uchel am beidio â ffermio, byddent yn cronni yno oherwydd diffyg gwaith. Roedd y neuadd bentre wedi cau a'r *socials* ar ôl y capel a'r eglwys wedi peidio. Caeodd y tap ac aeth i ddrôr y ddreser. Yno roedd ei ddyddiaduron. Bob nos fel pader, byddai'n llenwi sgwaryn bach o ddiwrnod. Roedd ei ysgrifen yn fach ac yn annealladwy bron ond roedd ei dad wedi gwneud yr un peth. Dyddiaduron pum mlynedd oedden nhw, a'u cloriau wedi eu gwneud o ledr coch. Byddai ei dad yn rhestru'r niferoedd o ddefaid oedd yn lle, a phrisiau hadau'n gymysg â phrisiau glo. Doedd dim sôn am ei fam nac yntau. Pan oedd yn grwt, a newydd golli ei dad, aeth i lawr ganol nos unwaith i chwilio am ei enw ei hun yn nhudalennau'r dyddiaduron. Eisteddodd ar y llawr coch a du gan wthio'r llenni yn ôl i daflu mwy o olau leuad ar y tudalennau gwynion. Darllenodd am oriau. Edrychodd ar ei ddyddiad geni. Ond doedd dim byd yno. Dim sôn amdano. Dim ond rhifau ŵyn tew a phrisiau staplau. Roedd ef a'i fam yn anweledig. Aeth yn ôl i'w wely wedyn, a gwrando ar ei fam yn troi a throsi tan y bore.

Heddiw, fe ddechreuodd chwilota i weld a allai gael gafael yn y dyddiadur lle roedd yntau a hen foi Clawdd Melyn wedi cytuno am y ffin. Tynnodd y dyddiaduron allan ar hyd y ford. Agorodd nhw a dechrau pori. Byddai'n siŵr o fod wedi nodi rhywbeth os oedd cytundeb wedi ei wneud. Aeth yn ôl i'r pumdegau a'r chwedegau cynnar. Roedd rhyw gof ganddo iddo ddod draw rywbryd a Hannah'n gwneud sgons i'r ddau. Ac yna, fe ddaeth ar draws y tudalennau gwag. Rhyw ddeuddeg wythnos o wynder fel yr eira. Deuddeg wythnos o ddim byd cyn i'r ysgrifen ddod yn ôl yn ara bach, yn sigledig i ddechrau ac yna'n gryfach ac yn fwy prysur nag erioed. Caeodd y llyfr.

Roedd hi'n nosi pan ddaeth Isaac i'r tŷ. Fe aeth â defaid Dei Clawdd Melyn tuag at y ffin yng nghefn y Land Rover cyn eu taflu'n go 'sgymun yn ôl dros y ffens yn lle rhoi esgus i hwnnw ddod yn ôl eto. Roedd y tŷ'n fwy cymen, a'i dad yn dal i eistedd wrth y bwrdd a'i ddyddiaduron o'i flaen.

"Be chi'n neud â rheina?" Roedd golwg aflonydd ar Isaac, a'r fflasg denau oedd ym mhoced mewnol ei got yn wag ers oriau.

"Meddwl allen i chwilio rhywbeth am y ffens," meddai Enoch.

"Gadwch y diawl i fod," meddai Isaac wrth fynd i olchi'i ddwylo. Aeth i fyny'r grisiau wedyn i newid cyn dod yn ôl i lawr. Roedd ar ei ffordd i'r dafarn.

"Lle ma allweddi'r Land Rover?" gofynnodd gan wisgo'i got.

Tynhaodd gên Enoch. Dechreuodd gasglu'r dyddiaduron o'i flaen.

"Dat?"

Cododd Enoch a chydio yn ei ffon cyn cerdded at y ddreser i roi'r dyddiaduron gadw.

"Lle ma nhw? Dy'n nhw ddim ynddi."

Caeodd Enoch y drôr a throi am y gegin. Roedd hi'n amser iddo yntau feddwl am ei swper. Cydiodd Isaac yn ei fraich wrth iddo gerdded heibio.

"Dat?"

Syllodd y ddau ar ei gilydd am ychydig nes i Isaac ollwng braich ei dad. Fe sylwodd fod honno lawer yn deneuach o dan ei fysedd nag oedd hi wedi bod.

"Do's dim ise nhw arnot ti, sa adre," meddai Enoch gan wthio'i ên allan.

"Gallwch chi ddim, dim blydi plentyn 'yf fi..."

"Wel, paid â byhafio fel un 'te," atebodd hwnnw a'r dicter yn dod yn ôl i'w lygaid er gwaethaf ei wendid.

"Blydi whare plant," meddai Isaac wedyn cyn troi am y gegin. "Do's dim ise fi fynd lawr," meddai wedyn gan agor y cwpwrdd dan y sinc, "pan alla i ga'l peth adre."

Aeth Enoch at y lle tân a gwrando ar ei fab yn twrio. Eisteddodd, a'r tân yn dechrau poeri wrth ei ochr. Clywodd glapian y drysau a thinc y boteli gwag yn cael eu darganfod yn y sach sbwriel. Ymddangosodd Isaac yn fframyn y drws unwaith eto. Roedd ei ysgwyddau'n grymach erbyn hyn a'i lygaid yn fwy gwyllt. Roedd syched Isaac yn cynyddu bob dydd a phethau ddim yn glir nes y cawsai'r wisgi. Gwrandawodd ar y tân yn fflamio gyda'r gwynt. Gallai gerdded i'r dafarn. Fyddai e ddim yn hir ond roedd hi'n hwyr yn barod. Dechreuodd gerdded y llawr. Roedd Enoch yn ei wylio gan gydio'n dynn yn ei ffon.

"Mae e'n glefyd arnot ti, Isaac," meddai Enoch yn dawel.

Roedd llygaid Isaac yn chwilio am rywbeth yn y gwyll. Yna, fe sylweddolodd Isaac mai chwilio am rywbeth nad oedd yno roedd e.

"Lle ma'r ffon?" gofynnodd Isaac.

Roedd honno, wedi ei gorffen, wedi bod yn gorwedd ar bwys y lle tân ers diwrnodau.

"Pwy ffon?" gofynnodd Enoch gan symud ei bwysau ar ei stôl.

Cerddodd Isaac at y lle tân.

"Y ffon, y ffon o'ch chi'n..."

"Beth yw'r ots?" gofynnodd Enoch heb symud ei lygaid.

Safodd Isaac yn ddiymadferth.

"Chi wedi'i rhoi hi, yn do fe?"

"Be?"

"Chi wedi'i rhoi 'ddi iddo *fe*, yn do fe?"

Syllodd Enoch i'r tân a'i fochau yntau'n llosgi.

"'Na be chi 'di neud, ondife? Gwedwch wrtha i, gwedwch..."

Roedd Isaac ar ei bengliniau o flaen ei dad erbyn hyn. "Ond wedoch chi…"

Gwrandawodd y ddau ar eiriau Isaac yn toddi i'r tân.

"O'dd man a man iddo fe'i cha'l hi. Fe sy'n neud y gwaith ffor hyn nawr," meddai Enoch o'r diwedd.

Tasgodd y geiriau ar hyd Isaac fel eirias. Pob un yn llosgi i'r byw. Safodd yn llonydd yn ei wendid. Syllodd Enoch ar ben ei fab wedi plygu o'i flaen. Gallasai fod wedi symud ei law. Dim ond modfedd neu ddwy. Ei symud a'i gorffwys ar ei ben. Ond roedd gormod o gywilydd arno i wneud hynny.

25

Y treial

ROEDD YR HESBINOD wedi eu corlannu'n barod a Dei Clawdd Melyn yng ngenau'r lloc. Byddai treialon cŵn defaid Gorddu'n cael eu cynnal yn flynyddol. Heddiw, gan ei bod hi'n hindda, roedd y rhibyn o Land Rovers ar bwys y cwrs yn wag, a dyrnaid o ddynion yn pwyso ar eu ffyn yn cloncan ger yr hen garafán fach lle gweinai Rosemary Clawdd Melyn a gwraig Jâms Peithyll baneidiau o de, cacs a brechdanau bara brown tenau.

Safai Enoch wrth y postyn â'i ffon yn ei law, a'r ast yn glynu wrth ei sodlau ac yn edrych yn eiddgar i'w wyneb. John Gellideg oedd y beirniad, a safai y tu ôl i'r rhedwyr â'i bensel y tu ôl i'w glust. Roedd ei wraig wedi mynnu ei fod yn gwisgo tei a siaced heddiw ac roedd y botymau ar honno'n gwegian gan bwysau ei fol.

Roedd Robert Peithyll wedi rhedeg ei ast yn barod ond bu'n rhaid iddo chwibanu arni droeon i'w chadw allan. A hithau'n pallu gwrando, fe fethodd â didoli dafad oddi wrth y lleill na chael y defaid i geg y lloc ar ddiwedd y cwrs. Clymodd y cordyn beinder yn ôl am goler yr ast cyn mynd i yfed te wrth y garafán, gan fwmial rhywbeth dan ei anadl am iddo golli ei gi gorau yn ddiweddar. Esgusodd Enoch iddo beidio â'i glywed wrth i Jâms roi slap ar ei gefn a rhoi ei fab bach yn ei freichiau fel cildwrn iddo. Roedd wyneb a dwylo tewion hwnnw'n fenyn i gyd o'r bara brith roedd ei fam-gu yn ei fwydo.

Rhedodd ast Enoch mewn bwa cymen a chodi'r defaid yn

bert. Gyrrodd hi nhw'n ofalus rhwng y ddwy gât gan godi ei haeliau i edrych yn ôl ar Enoch bob nawr ac yn y man. Ast sgotsh oedd hi a'i chot ddu'n sgleinio a choler o flew gwyn am ei gwddwg. Cadwai Enoch gi neu ddau yn arbennig ar gyfer y treialon. Fyddai'r rheini ddim yn cael eu defnyddio bob dydd ar y fferm gan fod hynny'n eu sarnu. Byddai'r cŵn hynny'n gorfod rhedeg gormod ac yn dysgu arferion gwael gan ei gilydd, a'u symudiadau'n mynd yn gwrs ac yn llac. Yn y parc y byddai cŵn y treialon yn cael eu dysgu ac roedd Enoch yn medru synhwyro a oedd rhywbeth yn eu pennau yn ifanc iawn. Roedd eu symudiadau'n llyfnach, yn fwy cywrain. Roedd ganddyn nhw bresenoldeb a hunanreolaeth ac fe fyddai Enoch yn eu meithrin, gan ddarllen a deall eu gwendidau a'u cryfderau. Gwyddai'n reddfol pryd i ganmol a phryd i roi cystudd nes bod y cŵn yn tyfu i'w addoli a'u llygaid wedi eu sodro tuag ato yn anad neb arall. Hon oedd un o'r geist gorau iddo eu magu erioed. Roedd hi'n gryf ond eto'n ystwyth, a'i chorff yn rhedeg yn rhwydd fel dŵr.

Chwibanodd Enoch eto ac fe dawelodd y cleber wrth y garafán. Rowndiodd yr ast y defaid yn un cwlwm gwlanog y tu ôl i Enoch cyn pasio trwy'r ail bâr o gatiau. Gyrrodd yr ast nhw o'i flaen fel pe bai hi'n eu rhoi'n offrwm iddo, cyn cwympo fel carreg i'r llawr ar ei chwibaniad. Gwyliodd Enoch hi, a'i lygaid yn ddyfrllyd. Teimlodd y ffon yn ei fysedd ac, am eiliad, dim ond ef a'r ast oedd yn y byd. Doedd y dorf fechan ddim yn bodoli, na'r gwenoliaid a hedfanai'n chwil dros y cae. Doedd dim sŵn, dim ond sŵn anadlu'r defaid a churiad calon yr ast. Stablai'r defaid yn eu hunfan, yn ansicr lle i droi.

Cododd Isaac ei ben. Roedd hwnnw'n pwyso ar ddrws y Land Rover, ymhell o'r garafán, yn gwylio'i dad. Astudiodd yr ast wyneb Enoch, yn darllen, yn dilyn ei lygaid, yn aros iddo ddweud pa ddafad i'w didoli. Arhosodd y ddau, a'r cwlwm o ddefaid yn chwythu yn eu tyndra. Yna, rhoddodd Enoch y gorchymyn a chododd yr ast a phlymio i ganol y defaid i wahanu un oddi wrth y lleill. Safodd honno mewn ofn, ar wahân. Roedd ei greddf yn ei gyrru'n ôl at y gweddill ond ei chadw'n ynysig wnaeth yr ast, cyn i Enoch ganiatáu iddi ailymuno â'r ddiadell.

Gwyliodd Jâms Peithyll y meistr wrth ei waith a hanner gwên ar ei wyneb, a'i edmygedd yn mynd yn drech nag ef. Roedd pleser mawr mewn gweld ci yn gwneud strocen. Cerddodd Enoch yn hamddenol tuag at y lloc yng nghanol y cwrs ac agor y gât. Roedd yr ast yn mwynhau, yn gyrru'r defaid fel afon yn gyrru dŵr, yn eu troi a'u gwyro yn un diferyn gwlanog. Gyrrodd nhw i'r lloc yn ddiffwdan a chododd Enoch ei ffon i'w harwain i mewn, cyn cau'r gât fel drws ar eu hôl. Daeth yr ast tuag ato ar ei hunion i chwilio am ganmoliaeth yn ei wyneb. Plygodd Enoch a gorffwys ei law ar ei thalcen, gan wrando ar y defaid yn chwythu y tu ôl iddo.

Gollyngodd Dei Clawdd Melyn y pedair dafad nesaf o'r lloc a thro ci Isaac oedd hi. Gwyddai Isaac ei fod wedi bod yn esgeuluso ei gŵn yn ddiweddar ond dewisodd ei gi gorau. Roedd y fflasg yn ei boced yn wag ers y noson cynt ac roedd rhyw gryndod yn ei ddwylo. Roedd hi'n agosáu at ganol dydd a'r haul yn uchel yn yr awyr. Fyddai rhai ddim yn hoffi rhedeg pan fyddai'r haul yn rhy boeth a'r golau'n dallu. Gallai Isaac deimlo'r chwys yn wlyb ar ei gefn yn barod. Rowndiodd y ci y defaid a'u gyrru'n daclus trwy'r ddwy gât gyntaf. Llaciodd ei ysgwyddau ychydig. Chwibanodd Isaac eto a'i anadl braidd yn fyr. Cododd yr ast a cheisio symud y defaid ymlaen ond roedd un ddafad yn pallu canlyn. Dyma Isaac yn gyrru'r ast yn ôl i'w chodi, a hithau'n gorfod gweithio'n galed i'w chyrchu at y gweddill. Gyrrodd yr ast nhw tuag at Isaac a hwnnw'n chwibanu ond byddai'r hesbin yn ailymuno â'r gweddill cyn tasgu i ffwrdd eto'n wyllt. Clywodd Isaac ambell chwerthiniad ac roedd e'n siŵr iddo weld Rosemary Clawdd Melyn yn codi ei phen ac yn edrych. Cynyddodd y gwres yn ei gorff a theimlodd y chwys ar ei dalcen. Arafodd y defaid i stop wrth i'r ast gyrchu'r ddafad yn ôl at y lleill unwaith eto.

Roedd y dydd yn cynhesu ac Isaac yn gorfod cuddio'i lygaid rhag yr haul â'i law. Chwibanodd eto. Dechreuodd y defaid symud ond safodd yr un ddafad ar ôl. Roedd yr ast yn dechrau cynddeiriogi, a galwadau Isaac yn mynd yn fwy taer. Rhoddodd Rosemary Clawdd Melyn y tebot i lawr a syllu arno. Fe rowndiwyd Isaac, a'r ddafad yn bell ar ôl o hyd, cyn iddo ffaelu'n deg â'i chael hi i ailymuno â'r lleill er mwyn eu gyrru trwy'r ail bâr o gatiau. Roedd cleber uchel o gwmpas y garafán erbyn hyn a'r dorf fechan wedi diystyru ymdrechion Isaac. Roedd John Gellideg wedi tynnu'r bensel o'r tu ôl i'w glust ac roedd yn brysur yn marcio'r papur a orweddai ar gledr ei law. Rhegodd Isaac dan ei anadl. Roedd yr ast yn dal i geisio cael y ddafad i droi. Roedd y ddau wyneb yn wyneb erbyn hyn a'r hesbin yn taro'r llawr yn styfnig â'i charn. Yna, dyma'r ast yn rhuthro ati, yn benderfynol o'i chael i ildio, ac wrth iddi droi, fe gnodd ei sawdl mewn rhwystredigaeth. Tynnodd John Gellideg aer trwy ei ddannedd yn sydyn a thawelodd y dorf. Poerodd Isaac y chwiban o'i geg. Roedd y treial ar ben iddo. Rhegodd unwaith eto a galw'r ast tuag ato. Rhoddodd siglad i goler honno a chlywodd ryw chwerthin tawel wrth y garafán. Gwyliodd Enoch ei fab heb ddweud gair. Roedd Isaac yn fyr ei anadl a'i ben yn boeth dan yr haul. Yna, cododd ei ben ac edrych ar yr un ddafad drafferthus a oedd yn cerdded yn gloff ymysg y gweddill. Edrychodd arni. Ei hastudio. Edrychodd eto.

Roedd un llygad yn fwll ganddi, yn llawn niwl gwyn. Dafad un llygad oedd hi, heb obaith o ganlyn y gweddill yn iawn.

"Dei Clawdd Melyn," meddai Isaac gan godi ei lygaid tuag at y lloc.

"Be sy'n bod?" gofynnodd John Gellideg gan wthio'r bensel yn ôl y tu ôl ei glust.

Dechreuodd rhai o'r dorf fwmial. Daeth Dei Clawdd Melyn o'r lloc a hanner gwên ar ei wyneb.

"Be sy'n bod?"

Edrychodd Isaac arno a'i frest ar dân. Roedd ei ddwylo wedi'u cyrlio'n ddyrnau heb iddo hyd yn oed sylweddoli.

"Ti'n gwbod yn iawn be sy'n bod. Un llygad o'dd 'da'r ddafad 'na."

"Pa ddafad?"

"Ti'n gwbod yn iawn pa —" dechreuodd Isaac.

"Wel, fel'na ma pethe'n mynd ambell waith," meddai John Gellideg, yn ymwybodol o'r fraint o gael bod yn feirniad am y tro cyntaf a ddim eisiau peryglu ei safle newydd yn y gymdeithas treialon.

"Anlwcus, ondife?" gwenodd Dei. "Weden i fod yr ast 'na mor ddiamynedd â'i pherchennog!"

"Dewch nawr, bois," meddai John gan deimlo curiad ei galon dan goler tyn ei grys, "dy'n ni ddim yn galler dewis 'yn defed, odyn ni?"

"Na," meddai Isaac, "ond ma'r un sy'n y lloc yn galler."

"Be ti'n treial weud?" meddai Dei gan wylio Isaac yn chwarae i'w ddwylo.

Rhoddwyd mab Robert Peithyll i'w fam-gu yn y garafán a magodd hithau ef gan wylio wyneb llonydd Rosemary yn astudio'r cwlwm o ddynion yn siarad.

"Ti'n gwbod yn iawn, y diawl…"

"Dewch nawr 'te, bois bach."

Roedd Jâms wedi cyrraedd a Robert yn ei gysgod. Dilynodd Enoch o bell.

"Dewch inni ga'l bod yn deg nawr 'te, rhowch *run* arall iddo fe," meddai Jâms.

Roedd dyrnau Isaac yn crynu a rhyw wendid yn ei fol.

"Wel, do's dim byd yn y rheole..." meddai John Gellideg gan chwilio yn ei bocedi am ryw bapurach. "Wi'm yn credu gallwn ni..."

"Be *chi'n* feddwl, Enoch?" gofynnodd Jâms.

Trodd y dynion at Enoch, yn glustiau i gyd. Fel un oedd wedi bod yn rhedeg treialon erioed, Enoch fyddai'n gwybod. Edrychodd Enoch ar Isaac ac yna ar yr ast. Roedd Isaac wedi bod yn esgeuluso ei gŵn yn ddiweddar. Roedd wedi sylwi ar y cryndod yn nwylo'i fab. Y diffyg hunanddisgyblaeth. Teimlodd lygaid pawb arno. Roedd y murmur wrth y garafán wedi tawelu.

"Wel," meddai Enoch yn ofalus, "fel wedodd Dei..."

Roedd Isaac yn astudio ei wyneb.

"Anlwcus, ondife..."

Teimlodd Enoch ei eiriau'n cwympo'n drwm ar Isaac. Syllodd hwnnw ar ei dad am eiliad, cyn iddo droi ar ei sawdl a cherdded i ffwrdd a'r ast yn ei ganlyn. Cilwenodd Dei Clawdd Melyn. Ailddechreuodd y cleber wrth y garafán ac aeth Daniel Coedllys at y postyn. Gofynnodd rhywun am baned o de a bu'n rhaid i Rosemary dynnu ei llygaid yn ôl at ei gwaith wrth wenu'n wan, ond aros yn llonydd wnaeth Enoch, yn gwylio cefn ei fab yn pellhau, a'i nerth fel pe bai wedi diflannu.

26

Sêr

EISTEDDAI OWEN WRTH ochr Nant y Clychau. Roedd golau melyn mis Mehefin yn harddu'r mynydd, a'r ŵyn yn rhedeg ar hyd ei berci fel plant ysgol, ond roedd yna ryw lonyddwch am Owen. Cydiodd yn y llinell bysgota a'i thynnu o'r dŵr. Roedd wedi prynu rholyn o edau clir yn y siop, ac ychydig o fachau. Gosododd nhw wedyn ar begiau, gan adael i'r nant gymryd y bachau gyda'r dŵr. Yn cuddio yng ngheseiliau ochrau'r nant byddai ambell frithyll. Tynnodd Owen ar linyn arall. Dim byd.

Doedd e ddim wedi medru gorffwys yn iawn ers gweld y llwynog tywyll yn edrych i lawr am y bwthyn. Allai e ddim bod yn siŵr ai llwynog neu lwynoges oedd yno ond fe adnabu ei chwant am fwyd. Meddyliai am yr ofn yn llygaid y sgwarnog ac fe fyddai'n codi yn y nos weithiau os clywai lwynog yn galw, ac yn mynd i sefyll yn aflonydd ar lechen y drws. Agorai hwnnw yn y bore wedyn gan chwilio'r porfeydd, a dal ei anadl nes iddo ddod o hyd iddi. Cododd a cherddodd dros y bont grog yn ôl at y bwthyn. Plygodd i dynnu ar y llinell a osododd yno'r noson cynt. Roedd yna bwysau arni.

Erbyn hyn, byddai'n golchi yn y nant, yn tynnu ei ddillad yng nghanol y prynhawn os byddai'n boeth ac yn gorwedd yn y llif braf a'r dŵr wedi cynhesu ychydig yng ngwres yr haul. Byddai'n gadael i'r dŵr lifo dros ei groen a chau ei lygaid. Llenwai ei ben â chlychau ac fe fyddai ei groen yn bywiogi i gyd. Eisteddai wrth y lan wedyn, yn gadael i'r haul sychu ei groen a'i war. Er nad oedd drych ganddo, gallai deimlo bod ei gorff wedi newid. Roedd ei groen yn lliw cneuen a'i wallt yn oleuach o fod wedi bod allan ymhob tywydd. Roedd hwnnw wedi tyfu'n hir ac yntau'n gorfod ei wthio y tu ôl i'w glustiau. Roedd ei gluniau yn llenwi ei drowser ac fe deimlai ei ysgwyddau'n lletach yn ei grysau. Deuai gwên i'w wyneb wrth feddwl amdano'i hun yn stryffaglu a chwympo i'r nant oer ar y diwrnod cyntaf hwnnw. Doedd y dŵr ddim yn ddigon dwfn i nofio ynddo ond fe wyddai fod yna lyn yr ochr arall i'r Fainc Ddu rhwng Hen Hafod a Pheithyll ac fe roddodd ei fryd ar fynd i nofio yno yn anterth yr haf. Tynnodd y llinell o'r dŵr. Roedd y pwysau'n symud. Cyflymodd ei galon. Ysgydwai'r llinyn yn ei law a chrynu. Lapiodd Owen y llinyn o gwmpas cledr ei law gan dynnu arno â'r llaw arall. Yna, sŵn cynffon yn torri wyneb y dŵr. Sŵn dŵr yn tasgu. Edrychodd Owen yn fanwl. Roedd gwaelod y nant a'r dŵr yr un lliw, a brown y pysgodyn yn anodd ei ddirnad. Ond fe'i gwelodd, yn llawer llai nag yr oedd wedi ei ddisgwyl o bwysau'r llinell, ond brithyll oedd e.

Doedd e ddim yn gwybod beth i'w wneud. Ceisiodd ddal ynddo, gan bwyso'n beryglus dros y dŵr, ac ar ôl rhai munudau o dasgu a phlycio fe wasgodd ef â chledr ei law i lawr ar y borfa. Roedd y bachyn yn ddwfn yn ei berfedd a'r pysgodyn yn agor a chau ei geg yn dawel. Ceisiodd dynnu'r bachyn oddi yno ond roedd hwnnw'n styfnig o sownd. Edrychodd o gwmpas am garreg cyn codi un o waelod y nant a chario'r pysgodyn at y bont grog. Gosododd ef ar y pren caled cyn cydio yn y garreg â'r llaw arall. Roedd yn rhaid ei ladd er mwyn rhoi diwedd ar ei ddioddef. Gwasgodd y garreg yn ansicr yn ei law. Yna, trawodd ef dros ei ben. Syllodd hwnnw arno gan ddal i agor ei geg. Trawodd eto, a rhyw gryndod yn lledu trwy ei gorff. Ac eto, nes ei fod yn siŵr ei fod wedi trigo. Gwyliodd y nerfau ynddo'n tawelu ac fe ddechreuodd Owen anadlu'n ddyfnach. Edrychodd o'i gwmpas fel pe bai'n meddwl y dylai'r fath fuddugoliaeth gael cynulleidfa. Gwenodd wrtho'i hun cyn tynnu ei gyllell boced o'i drowser a gwasgu min honno i fola'r pysgodyn. Llithrodd y perfedd pinc oddi yno. Agorodd y stumog i weld y pryfed a'r graean a fu'n swper olaf iddo. Taflodd y perfedd i'r nant a'i wylio'n diflannu gyda'r llif cyn cario'r pysgodyn yn ôl i'r bwthyn a'i ffrio ar y tân. Bwytodd ef wedyn ar y fainc gyda'r bisgedi ceirch, a saim y pysgodyn yn amgylchynu'i geg ac yn blastar ar hyd ei fysedd.

Doedd Owen ddim yn gwybod ai'r tywydd oedd yr achos, ond fe dreuliai lawer mwy o amser y tu allan i'r bwthyn erbyn hyn, gan ddim ond cilio yn ôl yno i glwydo. Byddai'n tendio'r llysiau. Yn gwrando ar yr adar. Yn gwylio cywion y dryw yn ymddangos mewn rhes ar hyd cangen yr hen ffawydden ac yn magu nerth a hyder. Byddai'n bwyta ar y fainc hefyd ac yn golchi'r llestri yn y nant cyn aros i wrando ar y tylluanod. Byddai'n edrych am y sgwarnog wedyn cyn mynd, yn erbyn ei ewyllys bron, i roi ei ben ar ei obennydd. A hyd yn oed wedyn fe fyddai ei freuddwydion yn llawn adar a mawn a brwyn a'r sgwarnog.

Heno, roedd wedi pacio ei fag. Rholiodd ei sach gysgu'n un rholyn ac aeth â matsis a choed sych i ddechrau tân. Roedd e wedi cael y brithyll yn swper ac fe daflodd ychydig o fisgedi a chydau te i'r cwdyn. Roedd y tywydd wedi dal yn sych ers wythnosau a chlirdeb y nosweithiau yn rhoi hyder iddo. Cydiodd yn ei ffon a chau drws y bwthyn.

Roedd y dyddiau'n hir yr adeg yma ac fe fyddai'n bosib dilyn llwybrau'r mynydd yn hwyr i'r nos. Roedd y gwybed o gwmpas y nant wedi dechrau llonyddu a'r adar bach yn canu eu holaf cyn clwydo. Wrth iddo adael y bwthyn, dechreuodd ei synhwyrau ddeffro. Gallai glywed ymhellach. Gweld yn siarpach. Cerddodd i fyny'r mynydd, heibio i'r clawdd o ddrain tuag at y rhostir. Fe wyddai ei draed y ffordd yn reddfol erbyn hyn.

Roedd hi'n noson glir, a rhyw wawr binc ar yr awyr wrth iddi fachlud. Roedd hi'n dal yn glòs a holl synau'r mynydd yn dihuno o'i gwmpas. Gallai fod yn agos iddi fan hyn. Y sgwarnog. Gallai deimlo ei chynefin hithau. Roedd wedi sylwi ei bod hi wedi dechrau troi i fyny'r mynydd gyda'r nos, tuag at Ben Cripie. Gallai ei dilyn. Gorwedd lle y gorweddai hi. Anadlu yr un aer. Teimlodd Owen bwysau anghyfarwydd ei bac ar ei gefn. Trodd ar ben Llechwedd Rhedyn a dilyn y llwybr tuag at Bwll yr Eidion.

Doedd Owen ddim wedi adnabod y nos yn y dref. Ddim wedi teimlo ei bysedd arno. Roedd cymaint wedi ei ddwyn oddi arno. Yr oerfel, y sêr, y gwynt a'r glaw. Wnaeth e ddim profi'r un o'r rhain nes cyrraedd y bwthyn. Bu'n cerdded yn ddall drwy'r byd â'i holl synhwyrau wedi eu pylu, wedi eu llabyddio gan sŵn. Cerddodd Owen ymlaen. Roedd e'n siŵr o gael gafael ynddi yn rhywle.

Roedd y sêr wedi dechrau ymddangos. Yn swil i ddechrau yn yr awyr binc ac yna'n fwy ewn wrth i'r awyr aeddfedu'n borffor, yn indigo ac yna'n inc tywyll. Fe fydden nhw'n llenwi'r ffurfafen, pob modfedd ohoni, a'r tywyllwch yn ildio i'w cyffyrddiad.

Cyrhaeddodd Ben Cripie a chwilio am y nant a lifai o'r fan honno. Yna, fe dynnodd y priciau o'i bac a'u pentyrru yn barod at y bore pan fyddai eu hangen arno fwyaf, a'r nos wedi sugno'r gwres o'r ddaear. Gallai gynnau tân wedyn yn ddiogel ar gerrig y nant gul. Yna, dewisodd le i'w wely gan chwilio darn o fwsog a grug i orwedd. Tynnodd ei sach gysgu yn un cwrlyn o'i bac a'i gosod ar y llawr. Eisteddodd wedyn a thynnu ei esgidiau, cyn rhoi ei bac o dan ei ben a dringo i mewn i'w sach. Gallai deimlo'r mynydd yn dal ei bwysau. Yn anadlu o'i gwmpas. Gwyddai fod y sgwarnog yno yn rhywle, a'i chlustiau melfedaidd wedi eu gwasgu i lawr ar ei chefn. Daeth rhyw heddwch drosto. Heddwch nad oedd e wedi ei deimlo ers blynyddoedd. Yna, fe welodd rywbeth. Rhywbeth yn gloywi yn y tywyllwch. Cododd i eistedd. Pryfyn tân yn y grug. Ac un arall. Golau bach diniwed yn y gwyll. Daeth llygaid Owen yn gyfarwydd, a dyma un arall yn goleuo. Ac un arall. Ac un arall. Pigiadau bach o olau yn llenwi'r mynydd. Un ar ôl y llall. Roedd y nen a'r ddaear dan eu sang a theimlodd Owen ei galon yn curo wrth i'w fyd i gyd lenwi â sêr.

27

Celwydd

ROEDD CYRFF Y sgwarnogod bach wedi eu sathru ar bwys y drain duon. Fel pe bai'r llwynog wedi cael gafael yn un ar ôl y llall a'u datgymalu heb lawer o chwant eu bwyta. Roedd Owen wedi cysgu mor drwm nes iddo ddihuno'n benysgafn yng ngolau cynta'r wawr. Gorweddodd yno am yn hir wedyn, a blodau'r grug yn agor o'i gwmpas gan lenwi'r aer â'u paill. Meddyliodd am gynnau tân ond roedd mwy o angen bwyd arno nag oedd wedi bod ers misoedd ac fe benderfynodd fynd yn ôl at y bwthyn. Fe roliodd ei wely i'w bac a'i gario'n ôl i lawr y mynydd gan wylio'r dydd yn agor o'i flaen. Yna, fe'u gwelodd nhw. Yn bawennau ac yn berfedd wedi eu sathru ar lawr. Aeth oerfel y bore trwyddo.

"Ble ti 'di bod?"

Daeth llais drwy darth y bore. Roedd ffigwr tywyll yn ei lygadu o'r fainc y tu allan i'r bwthyn. Syllodd Isaac arno gan geisio peidio ag edrych ar y ffon yn ei law. Roedd hi'n amlwg ei fod wedi bod yno ers peth amser ac roedd caead ei fflasg arian i'w weld ym mhoced ei siaced. Safodd Owen fel y sgwarnog, ac Isaac rhyngddo ef a'r bwthyn. Symudodd Isaac ei bwysau yn anesmwyth a chwerthin ychydig o dan ei anadl.

"Mae e wedi ca'l rhyw bwl," meddai o'r diwedd.

Roedd adar bach y bore'n dechrau dihuno'n ddioglyd, fel pe baen nhw'n gwybod bod heddiw'n mynd i fod yn ddiwrnod porpoeth.

"Ddes i i'r tŷ ac o'dd e'n pipo fel'na. I'r lle tân."

Edrychodd Owen arno mewn penbleth. Roedd Isaac wedi mynd i edrych yn fach. Doedd dim cryfder yn ei ên. Roedd ei gorff yn meddalu a'r wisgi'n mynd â'i nerth.

"A fues i'n galw arno fe ond o'dd e'n bell yn rhywle." Sychodd Isaac ei geg â'i lawes fel pe bai'n ceisio sychu rhyw hen surni i ffwrdd. "Fe ddoth y doctor. Mae e'n ei wely."

Chwarddodd Isaac eto. Roedd sêr y noson cynt ac aur grug y bore'n teimlo'n bell yn ôl i Owen erbyn hyn. Safodd ac edrych ar Isaac heb wybod beth i'w ddweud.

"A ti'n gweld, dim ond ti sy'n neud y tro." Roedd 'na ryw galedwch newydd yn llais Isaac, rhyw dinc fel taro dwy garreg fflint yn erbyn ei gilydd a'r rheini'n bygwth fflamio'n dân. "Dim ond ti sy'n neud y tro." Pwysleisiodd Isaac bob gair.

Setlodd y tawelwch yn ôl rhwng y ddau am eiliad.

"Ond be alla i…? Alla i ddim neud dim byd…" dechreuodd Owen.

"A wi'n gorfod dod *cap in hand* wedyn, i ofyn iti ddod ato fe."

Syllodd Owen arno. Roedd meddwdod y paill wedi cymylu ei feddwl yntau hefyd. Siglodd ei ben.

"Ond be alla i…? Wi ddim ise… Ti ddyle…"

"Plis…" Cododd Isaac ei ben i edrych arno. "Ti ise fi ar 'y mhenglinie? 'Na be ti ise?"

Ysgydwodd Owen ei ben eto. "Na. Fe ddo i, fe ddo i."

Ymlaciodd ysgwyddau Isaac yn weladwy. Nodiodd Owen. Cerddodd at y bwthyn a gadael ei bac a'i ffon wrth y drws cyn dilyn Isaac i lawr am y tŷ.

Roedd hi'n poethi'n annaturiol o gynnar. Eisteddodd Isaac ar bwys y lle tân yn gwylio Owen yn dringo'r grisiau. Doedd neb wedi cynnau hwnnw heddiw ac fe orweddai'r lludw'n oer yn y grât. Gwrandawodd Owen ar y grisiau'n gwichian dan ei draed a safodd am ychydig ar y landin yn dyfalu pa un oedd stafell Enoch. Yna, fe glywodd yr anadlu bas. Roedd ei geg yn sych. Cydiodd ym mwlyn y drws a gwthio hwnnw'n araf.

Eisteddai Enoch yn ei wely, a'r llenni ar gau, yn syllu i'r gwyll. Trodd ei ben wrth glywed Owen yn dod i mewn a meddalodd ei wyneb rywffordd. Roedd arogl chwys yn y stafell glòs. Safai drysau'r wardrob ar agor a honno'n hanner gwag. Roedd 'na hancesi ar y gwely a hen ddillad a galoshis ar stôl fach ar erchwyn y gwely. Safodd Owen wrth ochr y gwely.

Arhosodd y ddau am eiliad heb ddweud gair. Teimlodd Owen y gwres yn dechrau glynu at ei gorff a'i anadlau'n mynd yn fwy bas.

"Wedodd Isaac bo chi ddim wedi bod yn dda."

Roedd crys Enoch yn llac am ei gorff a gallai Owen weld nad oedd e'n gwisgo trowser. Roedd croen ei glun yn y golwg. Sgleiniai ei lygaid yn ddyfrllyd. Sylwodd Owen fod llestri brwnt ar y bwrdd bach ar bwys y gwely. Roedd y bara menyn wedi sychu a rhyw swigod yn codi yn y gwydraid o ddŵr.

"Fe ddest ti," meddai Enoch wedyn. Roedd ei lais yn boenus o anghyfarwydd. Dechreuodd beswch wedyn a phantau ei fochau yn ddyfnach rywffordd. Gwyliodd Owen e'n ddiymadferth am ychydig cyn cydio yn y gwydr dŵr a'i wasgu i'w wefusau. Llyncodd Enoch y dŵr gan godi ei law dros un Owen i yfed. Edrychodd hwnnw ar y bysedd tenau dros ei rai ef. Tynnodd Enoch ei geg yn ôl wedyn ac fe safodd Owen heb wybod beth i'w wneud. Rhoddodd y gwydr i lawr. Sylwodd Owen fod siffrwd yn ysgyfaint Enoch. Roedd y gwres wedi codi trwy ei gorff yntau hefyd erbyn hyn ar ôl ffresni'r nos ac roedd arogl corff ac anadlau a hen fwyd yn codi cyfog arno. Aeth at yr hen ffenest ddofn ac agor y llenni. Llenwyd y stafell â golau llachar. Tynnodd wedyn ar ddolen y ffenest. Roedd y gwydr yn honno wedi ei amgylchynu â rhibyn o fwsog a hithau heb ei hagor ers blynyddoedd. Ymladdodd Owen â hi fel pe bai dan ddŵr ac yntau'n ymbalfalu am yr wyneb er mwyn cael cymryd llwnc. Ysgydwodd hi nes iddi ildio, gan adael rhyw awel ysgafn i'r stafell. Pwysodd Owen ar y sil ffenest am eiliad yn sadio'i hun ac yn anadlu'n drwm. Roedd cyrff y sgwarnogod a'r gwres yn gwasgu arno.

Roedd hi'n annaturiol o sych, a phorfa'r mynydd wedi magu rhyw wawr felen. Roedd lliwiau a synau'r dŵr wedi diflannu o'r mynydd a rhyw dawelwch wedi disgyn yn ei le. Trodd Owen yn ôl i edrych ar Enoch.

"Merch ddylen ni fod wedi ca'l, i edrych ar 'yn ôl i." Roedd ychydig o wên yn chwarae ar ei wefusau. "Fe drion ni bŵer o weithe ond ddoth dim un."

Roedd côr y bore wedi tawelu erbyn hyn. Gwenodd Owen arno.

"Wi'm yn credu..." cychwynnodd Owen, "wi'm yn credu ifi ddiolch ichi am 'yn achub i'r diwrnode cynta 'ny."

Roedd y cyfan yn teimlo mor bell yn ôl erbyn hyn. Astudiodd Enoch wyneb y bachgen.

"Falle mai tithe nath 'yn hachub ninne," meddai'n bwyllog.

Edrychodd Owen arno. Roedd tonnau o wres yn rowlio ar hyd y mynydd erbyn hyn.

Edrychodd Owen ar y llawr. Teimlodd ryw dyndra yn ei berfedd a daeth dagrau i'w lais o weld yr hen ddyn yn ei wendid. Symudodd yn agosach at y gwely.

"Ma pethe'n bennu 'ma, on'd y'n nhw? Y cwbwl yn diflannu," meddai, a rhyw ofn dwfn yn ei lais. "Y ffermydd, yr iaith, y lle 'ma..."

Edrychodd Enoch arno. "Y mynydd?"

Nodiodd Owen.

"Fel wi'n dod i'w adnabod e." Roedd ei lais yn crynu. "Fel wi'n cyrra'dd adre."

Gwenodd Enoch arno'n wan a phwyso ymlaen.

"Lle ti'n meddwl eith y mynydd, gwed? E?"

Cododd Owen ei lygaid i edrych arno, a nodio.

"Dere," meddai Enoch wedyn gan bwyntio at y gadair ar bwys y gwely. "Ti sy'n galler gweud storis."

Edrychodd Owen ar y stôl cyn symud yn araf ati a chodi'r dillad oddi arni.

"Gwed dy stori di wrtha i, dy lyfyr di."

Meddyliodd Owen am y llyfrau oedd yn eistedd yn un pentwr segur ar y pentan yn y bwthyn a'u tudalennau'n tampio.

"Ond wi ddim wedi…"

"Sdim ots."

Teimlodd Owen ei feddwl yn llithro i bobman fel dŵr. Doedd dim geiriau. Dim ond marciau. Awel y mynydd. Olion traed. Syllai Enoch arno, a'i groen yn crino fel y dydd. Yna, fe ymestynnodd ei law allan a chydio yn un y bachgen. Caeodd ei lygaid a gallai Owen weld y gwlyborwch yn eu corneli.

"Gwed *rhywbeth* wrtha i. Gwed gelwydd os ti moyn."

Edrychodd Owen ar ei fysedd cyn dechrau ar ryw stori, gan ei llusgo o'i berfeddion yn rhywle. Bachodd ychydig o stori o'r fan hyn ac ychydig o stori o'r fan draw. Dygodd a benthycodd a dychmygodd, gan wylio holl liwiau'r stori ar dudalen wyneb Enoch. Siaradodd yn dawel ac fe sylwodd fod ei lais yn llonyddu ysgyfaint yr hen ddyn a hwnnw'n gorwedd yn esmwythach rywffordd.

Aeddfedodd y dydd y tu allan a'r golau'n melynu ac yn dwysáu, ac erbyn iddo orffen roedd Enoch wedi cysgu. Gwrandawodd ar ei anadlau am yn hir cyn codi. Cerddodd at y ffenest a syllu allan. Roedd cyrff y sgwarnogod yn graith ar ei feddwl ac fe aeth rhyw ofn drwyddo wrth feddwl am y sgwarnog ei hun. Fe drodd, gan ysu am gael bod yn ôl ar y mynydd. Gadawodd y ffenest ar agor ac aeth allan.

Roedd y gegin yn dawel ac Isaac wedi mynd allan i rywle. Gwrandawodd ar gerdded araf y cloc cyn mynd at y drws i wneud yn siŵr bod Isaac o'r ffordd. Cerddodd wedyn at y cwtsh dan stâr cyn agor y drws cul. Roedd e'n gwybod mai yn y fan honno roedd e'n cael ei gadw. Agorodd y casyn a chydio yn y dryll. Gwthiodd ychydig o getris i'w boced. Byddai'n rhaid saethu'r llwynog. Cael ei wared. Cael gwared o'r poenydio. Gallai gysgu'n well wedyn, yn fwy esmwyth, ac fe fyddai'r sgwarnog yn ddiogel. Caeodd y drws cul a chario'r dryll yr holl ffordd yn ôl at y bwthyn.

2 8

Cneifio

DAETH AIL DDYDD Sadwrn mis Gorffennaf ac roedd y gwres wedi rhuddo'r mynydd. Bob bore, byddai Owen yn chwilio am y sgwarnog cyn dilyn y llwybr i'r tŷ i eistedd yn y stafell glòs yn adrodd ei straeon wrth Enoch. Eisteddai Isaac i lawr y grisiau yn ei lygadu. Treuliai lai o amser yn y dafarn a mwy wrth y tân a photeli o wisgi wrth ei ochr.

Ond heddiw, roedd bois Peithyll wrth yr helfa ac Isaac yn cerdded y mynydd yn ei fest. Roedd y defaid yn drwm o wlân ac roedd pawb yn gorfod symud yn arafach. Roedd yr ŵyn yn gnapod erbyn hyn a gwlân eu cefnau'n donnau i gyd, yn dangos eu bod yn llond eu cotiau. Daliai Jâms a Robert eu cŵn yn ôl am fod perygl go iawn i'r defaid orboethi a thrigo. Cerddodd Owen waelod padell y mynydd a'i ffon gydag e. Roedd e'n falch o fod allan heddiw a'r straeon a'r tŷ yn gaethiwed iddo. Er ei fod yn mwynhau llinyn y stori a sŵn y geiriau, roedd ei galon allan gyda'r sgwarnog ac roedd ganddo ryw deimlad oeraidd yn ei berfedd ei fod yn twyllo'r hen ddyn â'i holl straeon a'i gelwydd. Byddai cael ei draed yn rhydd ar ddiwedd y dydd yn fendith iddo ac fe fyddai'n rhuthro o'r tŷ yn ôl tuag at y bwthyn. Eisteddai wedyn ar y fainc yn aros am y llwynog. Yn aros ei gyfle. A'r arf yn y bwthyn, fe deimlai'n hapusach, bod ei boendod bron ar ben. Heddiw, roedd yntau yn ei fest hefyd, a'r chwys yn damp ar draws lled ei gefn.

Llifai'r defaid yn llachar yn yr haul fel ewyn. Ac er fod y porfeydd wedi melynu, roedd hen nentydd y mynydd â'u gwreiddiau'n ddigon dwfn i oroesi'r fath sychder. Deuent o grombil dyfnaf y mynydd, yn oer ac yn dywyll ac yn ddigon i gynnal diadell. Roedd Nant y Clychau wedi tawelu ond roedd ei llwybr mor sicr ag erioed. Gwyliodd Owen y ddiadell yn arafu trwy Bwll yr Eidion ac fe allai weld bois Peithyll wedi tynnu eu crysau ac yn eu chwifio o gwmpas eu pennau er mwyn hysio'r defaid yn eu blaenau.

Roedd Jâms a Robert yn dioddef yn y gwres a'u crwyn golau yn cochi ar hyd eu breichiau. Roedd y defaid yn y parc yn aflafar i gyd ac fe redodd y cŵn tuag at y cafnau dŵr i yfed eu siâr ar ôl rhedeg. Arllwysodd Robert lond potel o ddŵr dros ei ben. Roedd y ddau wedi hongian y peiriannau cneifio cyn dechrau hela. Taenodd y ddau gynfas ar y llawr cyn gosod y fframyn metel wedyn i hongian y sachau gwlân. Roedd sach *hessian* yn crogi'n wag yn hwnnw. Eisteddodd y ddau ar lawr wedyn yn gwisgo'u mocasins yn dawel. Fyddai byth llawer o glonc na chellwair ar ddechrau'r dydd.

Isaac fyddai'n dal y defaid ac Owen fyddai'n plygu'r gwlân. Dangoswyd iddo'n gyflym sut roedd rowlio'r cnu yn dynn a'i glymu, cyn ei wasgu i gornel sach. Byddai'n diflannu dros ei ben i honno bron. Byddai'n gorfod casglu'r bralau wedyn yn lle bod gwastraff ac fe ymledodd yr olew o'r gwlân yn gled ar hyd ei freichiau.

Roedd sŵn y peiriannau fel gwenyn ac fe gronnodd y chwys i ddiferu i lawr wynebau Jâms a Robert, a'r rheini'n plygu'u cefnau. Byddai'r defaid yn gorwedd yn ddiymadferth rhwng coesau'r ddau cyn iddyn nhw gael eu gollwng i sboncio i ffwrdd yn eu gwlân llachar newydd. Roedd gwraig Jâms wedi pacio basged â digon o frechdanau i bedwar gan ddyfalu efallai na fyddai llawer o siâp bwyd ar Enoch yn ei wely. Gwthiodd Jâms y fasged tuag at Owen amser tocyn.

"Daw bola'n gefen," winciodd Jâms. "A be sy'n bod ar Dat 'de?" gofynnodd wedyn gan droi at Isaac.

"Mae e'n iawn," atebodd hwnnw heb godi ei lygaid i edrych arno'n iawn.

"Bownd o fod yn glwcedd, gwlei. Ma fe siŵr o fod bwti bwrw'i fogel ise bod 'ma."

Meddyliodd Isaac am ei eiriau. Doedd Enoch ddim wedi colli'r cneifio erioed. Flynyddoedd yn ôl byddai'r ffald yn ffair o bobol yn cyfnewid amser cneifio a rhyw ddwsin a hanner yn dod â'u byrddau cneifio a'u gwallau, a'r cwbwl yn eistedd ar sachau gwlân yn hel clecs wrth iddyn nhw weithio. Byddai'r wledd yn llenwi'r bwrdd amser hynny, a'r wraig yn cael ei mesur yn erbyn haelioni'r bwyd. Bydden nhw'n bwyta'n y tŷ bryd hynny, wrth gwrs, gan olchi'u dwylo mewn bwcedi ar y ffald cyn i Hannah dynnu'r llestri gorau oddi ar y ddreser. Ond roedd rhywbeth newydd yn llygaid ei dad nad oedd Isaac wedi ei weld o'r blaen. Rhywbeth pell. Rhyw sicrwydd nad oedd Isaac yn rhan ohono.

"Falle ddaw e i'r fei 'to cyn diwedd dydd," gwenodd Isaac.

Nodio wnaeth Jâms a thaflu'i grystiau at un o'i gŵn. Trodd ei olygon at Owen wedyn a thynnu gwynt trwy ei ddannedd.

"A beth yw'r ffon 'na s'da ti 'de? Nabydden i honna'n unrhyw le."

Yfodd Isaac ei de yn dawel ac edrych ar y llawr. Gwenodd Owen ar Jâms a chynnig y ffon iddo, er mwyn iddo gael ei gweld. Roedd hi'n edrych yn deneuach yn nwylo trwsgwl Jâms. Edmygodd Jâms hi gan deimlo'i phwysau yn ei ddwylo. Gallai Owen weld yr edmygedd yn wyneb Robert hefyd.

"Enoch?" gofynnodd hwnnw.

Nodiodd Owen â gwên.

"Ma hi'n un go lew, on'd yw hi?" meddai Jâms wedyn.

Fe wyddai Owen erbyn hyn mai 'go lew' oedd un o ganmoliaethau uchaf Jâms.

“Reit, well inni fynd i neud rhywbeth, ife?” torrodd Isaac ar eu traws.

Cododd y pedwar, a’u cyrff yn gwegian ychydig, i ailddechrau ar y gwaith.

Gweithiodd bois Peithyll hyd yr hwyr gan fod yn well ganddyn nhw gael un diwrnod mawr ac un bach na dau ddiwrnod cyfartal. Gallen nhw fwynhau’r ail ddiwrnod wedyn gan wybod bod asgwrn cefn y gwaith wedi ei dorri. Ar ôl clirio’r lloc, fe adawon nhw’r peiriannau yn eu lle ar gyfer y diwrnod wedyn gan wybod na fwrai hi dros nos. Danfonwyd Owen i droi’r defaid oedd wedi eu cneifio yn ôl i’r mynydd. Aeth Isaac ati i dendio ambell ddafad gloff ac ambell un â chwt ar ei chroen yn y parc. Yna, fe gododd a gwylio’r ddiadell yn ymbellhau a’r chwys yn oeri ar ei gefn. Roedd bois Peithyll yn rhoi’r basgedi yn ôl yng nghefn eu Land Rover.

“’Na beth o’dd yffarn o ffon.”

Roedd llais Jâms yn cario ar yr awel ysgafn. Clywodd Isaac Robert yn cytuno’n dawel.

“Mae e wedi ffoli arno fe, sdim dowt.”

Daeth sŵn poteli gwag yn cael eu taflu i gefn y cerbyd.

“Fi ’di gweud, falle mai’r crwt ’na geith y mynydd ar ei ôl e ’to,” meddai Jâms â thinc o chwerthin yn ei lais. “Ti’n gwbod shwt ma’r hen fois ’ma. Ma nhw’n neud pethe dwl yn ’u henent. A sdim byd wedi setlo.”

Clywodd Isaac ddrws yn cau.

“Wel, mae e wedi ffoli arno fe, sdim dowt am ’ny.”

Daeth llais Robert yn ôl i’w glyw wrth iddo ddringo i ochr arall y cerbyd. Gwrandawodd Isaac ar yr injan yn ymbellhau a straen y blynyddoedd i’w deimlo yn holl gyhyrau ei gorff, cyn edrych i fyny i weld y defaid yn diflannu yn ôl i’r mynydd a bachgen ifanc â ffon yn ei law yn dilyn ar eu hôl.

29

Y llyn

DOEDD DIM SÔN am Isaac y bore wedyn. Roedd yr awyr yn gwasgu o law, a'r wybren yn clirio'i wddwg yn fygythiol. Safai Jâms yn pwyso ar bostyn lloc y parc yn smocio a'i lygaid yn cael eu denu tuag at yr awyr bob nawr ac yn y man. Eisteddai Robert yn hogi cyllyll y peiriant cneifio yn ei gôl. Mynd at eu gwaith wnaethon nhw'n dawel bach, heb aros gormod. Gallai Jâms a Robert ddal eu defaid eu hunain, er y byddai awr neu ddwy yn ychwanegol yn mynd â llawer mwy o draul ar eu cefnau. Lapiodd Owen gan wasgu pob cnu o wlân i'r sach cyn eu cau â phegiau pren. Roedd y cŵn wedi blino ar yr holl sioe erbyn hyn ac fe eisteddent yn y cysgod yn gwylio'r defaid yn sboncian heibio a'u haeliau'n codi i'w dilyn.

Roedd y cyfan wedi bennu erbyn amser cinio ac fe eisteddodd y tri wrth eu tocyn yn ddiwedwst. Haliodd Robert y peiriannau i lawr ac fe dynnodd lyfr poced bach o gefn ei drowser cneifio er mwyn nodi'r nifer a gneifiwyd. Ac Enoch ac Isaac yn mynd yn rhy hen i gyfnewid erbyn hyn, byddai'r bil yn cyrraedd maes o law. Gwenodd Jâms ar Owen fel gât cyn rhoi slap galed ar ei gefn, cystal â dweud "da iawn ti". Aeth at y Land Rover a thynnu cwdyn papur gwyn o felysion allan i Owen a gwasgu hwnnw i'w law wrth adael.

Ar ôl iddyn nhw fynd, fe gerddodd Owen y defaid yn ôl i'r mynydd. Doedd dim gwaith eu gyrru am eu bod hwythau, fel yntau, yn awyddus i gael bod yn ôl ar y mynydd. Galwodd yn y bwthyn wrth basio, gan gydio yn ei bac a hen botel i'w llenwi â dŵr y nant cyn dilyn y defaid yn ôl i'w cynefin.

Roedd pryfed a gloÿnnod yn tasgu o dan ei draed wrth iddo gerdded, a gwres y prynhawn yn cymylu'r gorwel. Gwasgarodd y defaid a thoddi i'r mynydd ac fe safodd yntau am eiliad â chorun ei ben a'i war yn poethi dan yr haul crasboeth. Cerddodd ymlaen wedyn gan anelu am y llyn disglair y gwyddai ei fod yr ochr draw i'r Fainc Ddu. Doedd dim cymaint o ddefaid i fyny yno, a'r rheini'n ffafrio'r porfeydd ar ochr orllewinol y mynydd. Roedd mwy o frwyn yn y fan hyn ac roedd plu'r gweunydd yn dal i lynu'n styfnig ar y corstir. Roedd cerdded yma'n anoddach ac fe sychodd cefn ei wddwg o fod angen dŵr.

Doedd e ddim wedi gweld y llwynog o hyd ond roedd wedi dod i arfer â'i arogl ac fe wyddai ei fod yn dal ar hyd y lle. Gwyddai hefyd o'i arogl mai un gwryw ydoedd. Roedd y dryll yn y groglofft ganddo ac fe fyddai'n ei dynnu allan bob nos i amddiffyn y sgwarnog. Fe wyddai ei bod hi'n rhy boeth i'r llwynog fentro allan heddiw, ac fe fyddai'n ôl mewn da bryd cyn diwedd y dydd.

Ymddangosodd y llyn o'r ochr draw i glap y Fainc Ddu, yn llygad llonydd ar y mynydd a dim un awel i rychio'i wyneb. Gwenodd Owen a cherdded ymlaen gan ddefnyddio'i ffon i sadio'i hun. Cyrhaeddodd ei ymyl. Doedd y llyn ddim yn fawr, dim ond rhyw hanner cyfer, ond roedd yn fyw o adar a phryfed. Ar ochr Peithyll roedd yna garreg wastad, digon o faint i orwedd arni. Cerddodd Owen ati cyn dringo ar ei phen a gollwng y bag wrth ei ochr. Roedd gwres y garreg yn bleser iddo dan gledrau ei ddwylo. Tynnodd ei esgidiau a'i sanau a gosod gwadnau ei draed ar ei hwyneb llyfn. Tynnodd hen dywel o'r pac i eistedd arno cyn tynnu ei grys dros ei ben. Roedd hwnnw'n hallt o chwys ac ymdrechion y diwrnodau diwethaf wedi ei flino a'i ymlacio ar yr un pryd. Tynnodd ei fest a'i drowser a'i ddillad isaf gan deimlo'r cynhesrwydd ar ei groen. Eisteddodd yn ei noethni fel madfall cyn sylwi ar liw'r dŵr. Gallai weld gwaelod y llyn, pob carreg, pob planhigyn. Roedd y dŵr bron yn dryloyw. Fel aer. Bron ddim yn bodoli. Teimlodd Owen rhyw awch i fod yn rhan ohono. Cododd ar ei draed a theimlo'r awel ar bob modfedd o'i gorff cyn plymio i'r dŵr oer. Llosgwyd ef gan yr oerni a daeth yn ôl i'r wyneb gan chwerthin. Ehedodd cwmwl o adar mân uwch ei ben a'u hadlewyrchiad i'w weld yn wyneb y llyn. Yna, fe drodd ar ei gefn a gorwedd ar y dŵr. Gadael iddo deimlo'i bwysau. Teimlo'r gwahaniaeth rhwng y gwres ar ei wyneb a'r oerni ar ei gefn. Teimlodd ei hun yn toddi i'r dŵr. Yn diflannu. Yn dod yn rhan o'r mynydd, o'r elfennau. Teimlodd ryddid na theimlodd erioed o'r blaen. Teimlodd ei gryfder yn cynyddu, yn cael ei fwydo rywffordd, a gadawodd iddo'i hun orffwys yng nghoflaid y dŵr am amser hir.

Uwchben clap y Fainc Ddu, safai Isaac. Islaw iddo, gallai weld y bachgen yn gloywi yn y dŵr disglair. Ei wallt yn euraid, bron. Roedd y gwres a'r wisgi'n cymhlethu'r wybren. Gwyliodd gorff ystwyth y bachgen yn symud yn y dŵr. Fe fu yntau fel yna rywbryd. Cyn i'r mynydd gael gafael ynddo. Cyn i'r cloc gerdded yn ddidrugaredd dros y blynyddoedd. Cofiodd iddo yntau fod yma gyda merch. A basgedaid o fwyd gyda nhw. Yn gorwedd yn yr haul yn bell o bobman, yn bell o bawb a'u clecs.

Roedd yr awel yn llawn glaw. Yn llenwi pob modfedd o'r cread. Cynyddodd cryfder y bachgen ei ddicter ef a chanodd geiriau Jâms a Robert yn ei ben. Oedd, roedd ei dad wedi ffoli ar y bachgen, roedd Isaac yn gwybod hynny, ac fe fyddai ei lygaid yn chwilio amdano ymhobman. Gwasgodd Isaac y botel a gariai'n ddiogel dan ei gesail. Ond nid wisgi oedd yn hon. Fe gâi wared ar y bachgen a châi wared o'r diwedd ar y bwthyn hefyd. Gorweddai'r matsis yn ei boced arall. Dim ond un fflam oedd eisiau ac fe fyddai'r bachgen, fel y sgwarnog, yn gorfod chwilio am rywle arall i guddio. Trodd ei gefn ar y llyn gan anelu am y bwthyn. Dechreuodd dyrfo.

30

Storom

"ISAAC?"

Roedd hwnnw wedi llusgo'r matras a'r sach gysgu i ganol y llawr. Roedd arogl disel yn llenwi'r bwthyn. Roedd y matsis yn ei ddwylo. Trodd i edrych dros ei ysgwydd ar Owen yn y drws. Ymbalfalodd â'r matsis, a'r wisgi wedi cloffi ei fysedd. Cyneuwyd y fflam fach. Roedd llaw Isaac yn crynu. Rhuthrodd Owen tuag ato ag ofn yn llenwi'i frest.

"Isaac!"

Tarodd Owen ef ar draws ei wyneb gan fwrw'r fflam i ddiffodd yn ddiniwed ar y llechi gerllaw. Edrychodd Isaac arno, â gwaed yng ngornel ei geg. Yn ei sioc, fe safodd Owen yn stond gan roi cyfle i Isaac gydio yn ei goler a'i daro'n ôl yn erbyn wal yr hen fwthyn.

"Cer o 'ma, ti'n clywed? Cer o 'ma!"

Roedd llygaid Isaac yn berwi o dymer a'i ddwylo'n crynu. Siglodd Owen ei ben. Tynnodd Isaac ar ei goler a'i fwrw'n ôl yn erbyn y wal unwaith eto.

"Wi wedi gweud 'tho ti!"

"Na!" gwaeddodd Owen y tro hwn.

Cododd Isaac ei ddwrn a'i fwrw yn ei fol nes bod Owen yn ei ddwbwl. Edrychodd Isaac i lawr arno.

"Ti'n gwrando nawr? Ti'n gwrando?"

Anadlodd Owen yn ddwfn a'r stafell yn dechrau troi. Roedd yr arogl disel yn llosgi'i lygaid. Trodd Isaac a mynd i godi'r matsis a orweddai ar bwys y lle tân. Hyrddiodd Owen ato unwaith eto a'i fwrw i'r llawr. Cnociodd Isaac ei ben ar y llechi. Safodd Owen drosto gan deimlo'i nerth yn ffyrnig ynddo.

"Wi ddim yn mynd o 'ma. Ti'm yn ca'l mynd â hyn wrtha i," poerodd Owen y geiriau.

"Ti'n meddwl 'mod i'n mynd i adel iti ddod ffor hyn, gweitho dy ffordd mewn, ei dwyllo *fe* bob siâp a cha'l y cwbwl?"

Daeth y geiriau rhwng dannedd caeedig Isaac wrth iddo godi. Roedd chwys yn drwch ar ei dalcen. Yn sydyn, goleuwyd y stafell gan fellten wen.

"Wi'm yn gwbod be ti'n siarad ambwti."

"Nag wyt ti? Nag wyt ti? Y gwenu a'r gwitho a'r storis o hyd ac o hyd…"

"Ond ti ofynnodd!"

"Cer! Ti'n gwrando? Welith neb dy ise di!"

Roedd y llais yn dynn yng ngwddwg Isaac. Edrychodd Owen i fyw ei lygaid. Dewisodd ei eiriau'n ofalus.

"Neb heblaw am Enoch."

Cydiodd Isaac yn ei wddwg. Teimlodd hwnnw'r cryfder yn blaguro ym mlaenau ei fysedd. Cydiodd Owen yn ei arddwrn a thynnu ar ei fraich. Roedd wynebau'r ddau o fewn modfedd i'w gilydd ac am yr ail dro ar y mynydd fe deimlodd Owen wir ofn drwyddo. Fe wasgodd ar fraich Isaac ac yna fe lwyddodd i ddisodli ei fysedd. Teimlodd ei dymer yn fflamio trwy ei gorff ac fe darodd Isaac â'i holl nerth ar ochr ei ben nes i hwnnw gwympo ar ei gefn. Yna, fe neidiodd ar ei frest i'w atal rhag codi. Ceisiodd Isaac gael gafael ynddo ond tarodd Owen ef nes bod gwaed yn tasgu o'i drwyn. Tarodd ef eto, ac Isaac yn ymbalfalu'n ôl. Daliodd Owen ar ei lygad. Roedd ofn yn llygaid Isaac erbyn hyn ond roedd Owen wedi blasu gwaed. Collodd bob synnwyr arno'i hun. Diflannodd o'i gorff. Ildiodd i'w reddfau fel anifail gan anadlu'n drwm. Bwrodd ef drosodd a throsodd a drosodd a throsodd a rhyw drydan yn gyrru ei gyhyrau. Roedd ei ddwylo'n goch, a'r chwys yn tasgu gyda'r gwaed. Teimlodd ei gnawd ar gnawd Isaac. Cynhesrwydd y gwaed. Rhyw gyffro anweledig yn llifo trwy'i gorff a'i lygaid ymhell i ffwrdd fel llygaid y ci yng ngwddwg y ddafad. Ac yna, sylwodd nad oedd Isaac yn ei daro'n ôl. Gorweddai yno â hanner gwên ar ei wyneb, yn cymryd pob ergyd, a'r boen fel petai'n falm iddo.

"Bwra fi!" gwaeddodd Owen o waelod ei enaid, gan anadlu'n boenus o ddwfn. "Be sy'n bod arnot ti? Bwra fi!"

Ond roedd Isaac yn syllu arno. Rhowliai ei lygaid yn ei ben. Stopiodd Owen, a'i ddyrnau gwaedlyd o'i flaen. Oerodd y chwys ar ei gefn. Edrychodd ar ei ddwylo mewn ofn a daeth yn ôl ato'i hun.

"Alun?" gofynnodd Isaac.

Cododd Owen ei ben i edrych arno. Yna, ymbalfalodd i'w draed. Roedd brest Isaac yn dal i anadlu ond roedd yn edrych yn bell i ffwrdd. Safodd Owen mewn ofn a'i lygaid yn llithro i bobman. Roedd Isaac yn hollol lonydd.

"Alun?"

Daeth y llais eto. Roedd ei olwg wedi ei gymylu â gwaed.

Dechreuodd dyrnau Owen grynu. Edrychodd ar yr wyneb sathredig ar lawr. Cofiodd am y sgwarnogod. Roedd y cwbwl ben i waered. Trodd a rhedeg am allan. Plygodd ar bwys Nant y Clychau. Goleuwyd y nen yn gyfan gwbwl gan fellten arall ac fe allai Owen flasu'r trydan yn britho yn yr aer. Chwydodd ar bwys y nant ac arogl y gwaed a'r disel a phoer yn llenwi'i ben. Fe ddiflannodd ei nerth, a'i adael, fel plentyn, yn amddifad. Ceisiodd gael ei anadl. Roedd ei groen yn llosgi wrth i'r gwres dorri'n daranau ac yna, wrth i ffigwr gwaedlyd Isaac syllu allan o'r bwthyn arno, fe ddechreuodd fwrw.

3 1

Hannah

Roedd Enoch wedi bod yn gwylio'r glaw yn tywyllu'r mynydd ers oriau. Roedd y gwres yn gollwng ei afael a'r awel a ddeuai drwy'r ffenest yn feinach. Fe glywodd Enoch Isaac yn dod i fyny'r grisiau y noson cynt a sŵn y tap yn y stafell folchi fach yn rhedeg, ond er gweiddi arno, ddaeth e ddim i'r stafell fach glòs. Roedd syched wedi bod yn poenydio Enoch drwy'r nos ac fe feddyliodd y byddai Isaac yn dod â rhywbeth i'w fwyta iddo yn y bore, ond ddaeth e ddim.

Erbyn y prynhawn, roedd ei syched yn drech nag ef ac fe benderfynodd geisio codi'n sigledig. Gwthiodd y garthen yn ôl a thynnu ei goesau tenau dros ochr y gwely. Defnyddiodd ei ffon wedyn i dynnu'r gadair a'r trowser yn agosach ato. Plygodd i wisgo'r rheini amdano, gan deimlo'n benysgafn, cyn mentro rhoi pwysau ar ei draed. Roedd e wedi gweld eisiau ei ffon, ei theimlad yn ei law, dros yr wythnosau diwethaf. Mwynhaodd lyfnder y pren dan ei fysedd am eiliad. Yna, pan oedd e'n weddol sicr o'i draed fe gerddodd yn araf at y ffenest. Daeth arogl pridd i gwrdd ag ef. Arogl y ddaear yn oeri ar ôl y storom dros nos. Y gwres yn codi'n darth oddi ar y mynydd. Roedd rhyw nydden denau dros y mynydd a hithau'n edrych fel priodferch yn gwrido tu ôl i'w fêl. Gadawodd i'w lygaid orffwys ar yr olygfa am eiliad. Yna, fe glywodd sŵn llestri. Trodd ei ben i edrych ar y drws caeedig. Roedd rhywun yno.

Cerddodd yn ofalus tuag at y drws cyn agor y bwlyn Bakelite a chroesi'r landin yn araf. Yna, fe gydiodd yn dynn yn ochr y grisiau cyn mynd i lawr ris wrth ris, gan wneud yn siŵr bod ei ddwy droed yn saff ar un gris cyn mentro un arall. Roedd hi'n dywyll ac yn dawel yn y gegin. Efallai ei fod wedi dychmygu'r sŵn. Trodd ei ben i wrando unwaith eto cyn cerdded i ferwi'r tegyl. Torrodd ychydig o fara menyn iddo'i hun. Teimlodd rhyw gryndod yn ei gyhyrau wrth gyrraedd y gadair ar bwys y tân, a'r egni roedd e wedi ei fagu o orffwys cyhyd wedi diflannu. Tynnai ei wendid yn fwy arno ar ôl ei ddiflaniad. Roedd y lle tân yn oer, wedi bod fel'ny ers wythnosau, ond erbyn hyn roedd nawsyn ynddi. Yfodd Enoch ei de yn dawel gan geisio magu'r nerth i gynnau'r tân.

Roedd wedi clywed sŵn brefu yn y diwrnodau diwethaf, ac roedd e'n siŵr fod rhywbeth ymlaen. Wedi clywed y defaid yn dod o'r mynydd. Ond ni allai yn ei fyw â chofio beth fyddai'n digwydd yr adeg yma o'r flwyddyn. Cafodd freuddwyd lle y'u gwelodd nhw'n dod o'r mynydd. Yn un llif. Fel y dŵr. Yr olygfa harddaf welodd Enoch erioed. Ac yna, fe welodd ffigwr, â choron o ddrain am ei ben a'i freichiau allan yn cyfri'r defaid adre. Dihunodd wedyn, mewn chwys, a'i frest yn tynnu. Roedd e wedi gweld eisiau'r bachgen a'i straeon ac fe fyddai ei glustiau'n gwrando am ei gerddediad ar y grisiau. Byddai Hannah'n arfer darllen iddo, yn ei dywys i lefydd eraill gyda'i geiriau, ac fe fyddai'r bachgen yn gwneud yr un peth.

Eisteddodd yn y llonyddwch. Roedd hi'n rhy dawel o lawer. Roedd clatshan y glaw trwm ar ôl y storom wedi peidio. Y taranau wedi clirio. Y mellt wedi gollwng eu gafael. Bu'n gwylio'r storom dros y mynydd o'i wely. Y nenfwd yn fforchio o olau. Yr awyr yn clirio'i gwddwg fel hen gigfran fagddu. Byddai'r blew bob tro'n sefyll ar ei war pan fyddai hi'n storom. Pan oedd e'n blentyn byddai'n gwasgu ei drwyn i wydr ffenest y bwthyn bach a gwylio â rhyw ofn crynedig ynddo. Gwyliodd y golau anniddig yn dawnsio uwch y Creigiau Mawr a lliwiau'r mynydd yn cael eu harddu ganddo.

Edrychodd Enoch ar yr hen bobol yn syllu i lawr arno o'u fframiau pren. Wynebau oedd wedi bod yn hiraethu ei freuddwydion. Y talcenni, y llygaid, pob un ohonyn nhw'n adlewyrchiad o'i wyneb yntau. Fel pe bai'r ddynoliaeth gyfan yn galw arno.

Ac yna, fe glywodd y sŵn unwaith eto. Sŵn tincial. Sŵn llestri. Cydiodd Enoch yn ei ffon a chodi. Deuai'r sŵn o'r gegin. Roedd golau ola'r dydd yn treiddio i'r stafell gan ei goleuo'n euraid. Gallai Enoch glywed sŵn traed ar lawr. Sŵn dwylo tyner. Ac yna, fe'i gwelodd hi'n sefyll yn fframyn y drws. Hannah yn ei brat. Gwenodd arno'n swil cyn mynd i dwtio'r ddreser. Syllodd Enoch arni a theimlo'i chynhesrwydd yn gysur iddo. Gwrandawodd arni'n sgwrsio am hwn a'r llall a chlebran wrth gymhennu pethau gadw. Llifai'r hen enwau oddi ar ei thafod. Yn gyfarwydd. Yn gysurus. Enw hwn a'r llall. Hanes am hwn a hon. Roedd y golau'n taflu rhyw wrid iachus ar ei chroen a gwelodd Enoch liwiau newydd yn nyfnder ei llygaid. Eisteddodd, a phwysau'r blynyddoedd yn llithro ohono, a gwrando ar ei llais meddal.

Yna, pan oedd y cyfan yn daclus, fe dynnodd Hannah ei brat a'i hongian ar gefn y drws cyn troi at Enoch a syllu arno. Edrychodd y ddau ar ei gilydd am ennyd. Roedd y drws cefn ar agor. Estynnodd hithau law ato a chododd yntau'n sigledig ar ei draed. Gwenodd Hannah'n siriol arno a chydio yn ei fraich. Roedd hi'n amser mynd adre.

32

Llwynog

Ar ôl i Isaac adael, gan lusgo'i gerddediad ar draws y bont grog, fe gysgodd Owen ar lawr y bwthyn a'i nerth wedi diflannu'n gyfan gwbwl. Gorweddai ei fatras a'i ddillad yng nghanol y stafell, yn ddisel i gyd. Pan ddihunodd ar y llechi caled, roedd ei gorff yn boenau drwyddo. Roedd ei groen yn llosgi a phob cyhyr yn gwynio. Roedd ei ben yn dost a'i ddyrnau'n gytiau mân.

Edrychodd o'i gwmpas ar yr annibendod yn gymysg â'r gwaed a'r llwch. Roedd ei geg yn sych. Stablodd ar ei draed ac agor y drws. Gwnaeth ffresni aer y bore i groen ei wyneb oeri. Dyma ei stumog yn troi unwaith eto ond doedd dim byd ynddi. Blasodd y chwerwder yn ei geg a phoerodd, gan geisio cael gwared o'r cyfog gwag. Gwasgodd ei wallt hir yn ôl y tu ôl i'w glustiau. Yna, fe aeth at y nant a golchi ei wyneb. Gwyliodd y gwaed du a oedd wedi sychu ar groen ei ddyrnau yn diflannu a llosgodd y cytiau ar ei wyneb o'r newydd. Gwasgodd ei lygad â'i fysedd a gallai deimlo'r chwyddo yn ei gnawd. Llusgodd ei hun wedyn i eistedd ar y fainc yn gwylio glaw diwetha'r storom. Roedd hwnnw'n taro yn erbyn to'r bwthyn a'r sied fach sinc gan boenydio pen Owen â'i sŵn.

Roedd y dŵr wedi dod yn ôl i'r mynydd ac roedd Owen yn siŵr y byddai'n rhaid iddo yntau adael. Gydag Enoch yn ei wely ac Isaac yn gwaethygu, allai e ddim aros yma mwyach. Edrychodd o'i gwmpas. Ar y llysiau a'r bont grog. Ar y ffawydden a'r drain duon. Y cwbwl mor gyfarwydd iddo. Yn gynefin iddo erbyn hyn. Meddyliodd am Isaac, yr olwg bell yn ei lygaid a'r enw Alun a ddaeth o'i enau, ac aeth rhyw ofn drwyddo. Cofiodd y curo a'r gwaed a'r ffordd yr aeth ei feddwl i rywle arall. Yn reddfol. Yn anifeilaidd. A chydiodd yn ei ben mewn cywilydd. Roedd popeth wedi bennu. Cododd, a'r ergyd roddodd Isaac iddo wedi cleisio ei berfedd. Aeth i mewn i'r bwthyn a nôl ei bac. Agorodd hwnnw a gwthio'i ddillad sathredig a'i sach gysgu i mewn iddo. Cododd yr hen fatras, a phob cyhyr yn ei gorff yn gwegian, a'i osod yn ôl ar y gwely. Gosododd y cadeiriau a'r bwrdd yn ôl wrth y drws cyn tynnu ychydig o fwyd i mewn i'w bac. Yna, fe dynnodd y lein ddillad fach a grogai rhwng y drws a'r lle tân.

Gweithiodd drwy'r dydd yn rhoi'r bwthyn yn ôl fel yr oedd e pan gyrhaeddodd. Gweithiodd fel pe bai wedi ei yrru. Ceisiodd ddileu unrhyw sôn amdano'i hun yn ei gywilydd. Cuddio unrhyw arwydd ei fod wedi bod yma. Aeth ag arfau'r ardd yn ôl i'r groglofft a chadw'r canhwyllau yn ôl yn y gegin. Yna, fe gydiodd yn ei lyfrau. Ei nodiadau. Ei record o holl ddigwyddiadau'r misoedd diwethaf. Yr anifeiliaid. Yr olion traed. Edrychodd ar y lle tân. Un fatsien oedd eisiau. Safodd am eiliad â'r papurau yn ei law cyn ailfeddwl a'u gwthio i mewn i'w bac a chau hwnnw'n dynn, dynn. Yna, ymhen rhai oriau, roedd wedi gorffen. Safodd ar ganol y llawr llechi gwag ac edrych o'i gwmpas. Edrychodd ar yr hen welydd, yr hen le tân ac ar yr hen ffenest. Edrychodd ar y llythrennau oedd yno, y llythrennau plentynnaidd A ac I, a gadael i'w lygaid eu hanwesu am y tro olaf.

Yna, drwy'r ffenest, fe welodd y sgwarnog. Aeth rhyw ofn drwyddo. Roedd hi'n syllu'n syth tuag ato a'r haul y tu ôl iddi yn ei goleuo trwy'r glaw mân. Teimlodd Owen ei galon yn tynnu. Roedd hi fel pe bai hi'n galw arno. Yn ei astudio. Fel pe bai hithau wedi bod yn dilyn a dysgu ei symudiadau yntau hefyd ac yn sylweddoli ei fod wedi newid ei batrwm. Allai e ddim ei gadael i'w thynged. Roedd yn rhaid iddo saethu'r llwynog cyn mynd oddi yma. Fe gâi adael yn y bore bach wedyn, cyn i neb ei weld, ond roedd yn rhaid iddo saethu'r llwynog. Roedd wedi addo iddo'i hun. Wedi addo i'r sgwarnog. Câi hi fod yn rhydd wedyn, a châi yntau fod yn rhydd. Fe ddringodd yr ysgol i'r groglofft a chydio yn y dryll. Cliciodd getris i'w grombil cyn edrych o gwmpas y bwthyn am y tro olaf, cario'i bac y tu allan a chau'r drws. Eisteddodd ar y fainc wedyn, a'i bac wrth ei draed, yn aros am y gwyll. Yn aros am y llwynog, yn barod i edrych i fyw llygaid ei ofn tywyllaf.

Pendwmpian oedd Owen pan glywodd yr anadlu yn y tywyllwch. Dihunodd yn sydyn a sythu ei gefn. Teimlodd oerfel metel y dryll yn ei ddwylo. Brithodd ei synhwyrau a lledodd rhyw drydan dros ei groen. Roedd hi wedi gorffen bwrw, a'r tywyllwch a'r tawelwch yn berffaith. Gallai synhwyro rhyw bresenoldeb tywyll yn y düwch. Doedd dim golau leuad heno. Roedd cymylau duon y glaw wedi mogi'i wyneb. Gwrandawodd eto. Sŵn traed. Ac yna, fe welodd bâr o lygaid yn y tywyllwch. Cododd y dryll i'w ysgwydd a'i lygaid wedi eu sodro ar y targed. Gallai deimlo'i galon yn curo'n gyflym yn ei frest. Clywodd y camau'n agosáu, a phob un o'i synhwyrau fel pe baent wedi eu tynnu ar dennyn.

Stopiodd anadlu.

Roedd e'n agos.

Gallai deimlo ei bresenoldeb tywyll.

Ei lygaid llaith.

Un anadl eto.

Ac…

Taniodd Owen y dryll a rhoi bloedd o waelod ei enaid. Gollyngodd hwnnw wedyn a chodi ar ei draed â'i galon yn curo'n boenus. Arhosodd i'r sŵn orffen atseinio ar hyd y mynydd. Clywodd y garreg ateb yn cael ei thaflu'n ôl ac ymlaen gan y mynyddoedd. Syllodd i'r tywyllwch. Cwympodd corff Enoch yn dawel i'r grug. Gorweddodd yno, yn y tawelwch, a rywle allan yn y tywyllwch, fe gododd y sgwarnog ei phen a throi ei chlustiau i wrando.

3 3

Yr aros

ROEDD CORFF ENOCH mor ysgafn â phluen wrth iddo ei gario i'r bwthyn. Roedd calon Owen yn curo fel adenydd yn erbyn ei frest a'i ofn wedi rhewi ei enaid. Rhoddodd ef i orwedd ar yr hen fatras.

"Enoch?" gofynnodd yn y tywyllwch. "Enoch?"

Gwasgodd ei ben yn erbyn ei frest. Roedd ei galon yn dal i guro'n wan. Roedd dwylo Owen yn crynu. Tynnodd ar fotymau crys Enoch. Roedd ei groen yn pylu'n wyn yn y golau gwan. Doedd dim marcyn arno. Rhoddodd Owen ei ddwylo arno a'u rhedeg nhw ar hyd ei goesau. Edrychodd ar gledrau ei ddwylo. Doedd dim sôn am waed. Doedd dim gwaed yn unman. Safodd ac edrych i lawr arno. Roedd yna ryw gryndod yn codi trwy'i gorff.

Yna, fe redodd. Fe redodd allan drwy'r drws gan adael hwnnw led y pen ar agor a chroesi'r bont grog a'i draed yn taro'n drwm arni. Codai'r panig yn ei frest gyda phob cam a doedd e ddim yn gwybod sut y byddai'n esbonio hyn i Isaac. Rhedodd drwy'r porfeydd gwlyb a'r cymylau wedi diffodd y lleuad. Doedd dim golau heno. Dim byd i'w arwain, ond roedd ei draed yn gwybod y ffordd yn reddfol erbyn hyn. Cyrhaeddodd y ffald a chlywed y cŵn yn cyfarth ei ddyfodiad yn aflafar yn y tawelwch. Gweddïodd dan ei anadl â phob cam cyn ffrwydro i mewn i'r hen gegin. Roedd hi'n dywyll bitsh.

"Isaac!"

Roedd ei lais yn annaturiol o uchel.

"Isaac!"

Rhedodd am y grisiau a'u neidio bob yn ddau. Agorodd y drysau ar y landin i gyd yn ei banig cyn gweld corff Isaac yn gorwedd yn ei wely. Pengliniodd ar bwys hwnnw a'i siglo ar ddi-hun. Roedd ei wyneb yn ddu o gleisiau ac roedd yn hir cyn dod ato'i hun. Roedd potel wag o wisgi ar y gobennydd wrth ei ymyl.

"Be?"

"Wi 'di neud rhywbeth," esboniodd Owen a'i anadl yn fyr. "Ma Enoch..."

Tynnodd Owen Isaac o'i wely a'i helpu i wisgo. Roedd e'n ymwybodol nad oedd yn gwneud llawer o synnwyr ond roedd yr ofn yn ei lygaid yn ddigon i berswadio Isaac i'w ddilyn. Rhedodd Owen i lawr y grisiau gydag Isaac ar ei ôl yn drwsgwl, yn tynhau belt ei drowser.

"Dat?"

Safodd Isaac a syllu arno. Roedd Owen wedi cyrraedd y bwthyn eisoes ac roedd yn sefyll gan symud ei bwysau o un goes i'r llall ar bwys y gwely.

"Shwt ddoth e fan hyn?"

"O'n i'n meddwl mai llwynog... O'n i'n ofan fydde fe'n... 'Nes i ddim gweld."

Gosododd Isaac ei law ar frest ei dad. Roedd curiad ei galon yn anghyson, yn fregus.

"Beth o't ti'n neud â'r dryll 'na?" Roedd llais Isaac yn codi. "Lle fwrest ti fe?"

"Dim unman! Wi'm yn galler gweld marcyn arno fe!" gwaeddodd Owen yn ôl.

Pengliniodd Isaac, a gwyliodd Owen ef yn gosod ei ddwylo ar ei dad. Yn chwilio am y clwy. Yn chwilio'r dolur. Ond doedd dim i'w weld yn unman. Arafodd ei ddwylo wedyn a'i anadlau'n sadio.

"Wedi ca'l ofan mae e," meddai dan ei anadl.

"Ofan? O's ise fi hôl y doctor?" gofynnodd Owen wedyn gan archwilio wyneb Isaac.

"A gweud be?" gofynnodd Isaac. "Bod ti wedi mynd â'r dryll? Wedi'i saethu fe?"

Gwrandawodd y ddau ar anadlau Enoch.

"Bydd raid inni aros, 'na i gyd."

Nodiodd Owen. Roedd yna ryw ddüwch yn codi drosto oedd ymhell uwchlaw blinder nac ofn. Syllodd i wyneb Isaac.

"Cynna dân," meddai hwnnw.

Nodiodd Owen a mynd i gydio yn y priciau sychion a oedd wrth yr hen grât. Cyneuodd dân, a'i ddwylo a'i feddwl yn falch o gael gwneud rhywbeth. Rhywbeth cyfarwydd. Cydiodd y tân yn y diwedd gan lenwi'r hen fwthyn â'i olau gwan. Roedd hi wedi oeri, a'r dwymyn oedd wedi plagio'r hen fynydd wedi pylu. Cododd Owen gan edrych ar Isaac. Roedd hwnnw wedi nôl cadair ac roedd e'n eistedd yn gwylio brest ei dad yn codi ac yn disgyn. Roedd y cwbwl fel ag yr oedd pan gyrhaeddodd Owen. A'i holl bethau wedi eu pacio, doedd dim arwydd ohono ar ôl. Eisteddodd wedyn wrth y bwrdd bach, wedi ymlâdd. Gwyliodd Owen y golau'n chwarae ar yr hen welydd gan godi hen gysgodion, cyn gorffwys ei ben ar y bwrdd. Aeth oriau tywyll heibio. Syllodd Isaac ar wyneb ei dad. Roedd y llythrennau yn ffrâm y ffenest yn tywyllu ac yn goleuo yng ngolau'r fflamau.

"Alun o'dd 'y mrawd i," meddai Isaac o'r diwedd, a'r geiriau'n drwm ar ei dafod.

Cododd Owen ei ben ac edrych ar gefn Isaac.

Symudodd Isaac ddim i edrych ar Owen, fel pe bai'n ofni y byddai'r symudiad lleiaf yn y gwyll yn medru disodli'r stori o'i enau unwaith eto a'i adael yn fud.

"'Y mrawd mowr i, gwallt gole."

Llyncodd Isaac ei boer yn bwyllog.

"Alun bach o'r nef." Daeth gwên chwerw i wyneb Isaac wrth iddo fesur y geiriau yn ofalus. "Fan hyn o'n ni'n byw."

Roedd y tân wedi dechrau gwresogi'r stafell fach.

"O'dd dim ofan dim byd arno fe. O'dd e'n mentro i'r tylle daear. Yn galler rhedeg a 'ngadel i'n bell ar ôl. Ac o'n i'n meddwl y byd ohono fe."

Roedd y cysgodion yn y stafell fach yn tyfu'n ddwysach.

"Ac o'n i ise dangos iddo fe 'mod i'n galler bod yn ddewr 'fyd."

Roedd Enoch yn aflonyddu ac yn mwmial rhywbeth yn ei gwsg. Edrychodd Isaac arno gan aros iddo dawelu.

"Fe es i â'r dryll. I ddangos iddo fe." Roedd y dagrau wedi tewhau llais Isaac erbyn hyn. "Ond fe a'th rhwbeth... O'n i'm yn ei ddeall e. Ac fe gydiodd e ynddo fe... ac fe saethes i fe."

Gwthiodd Isaac ei bechod allan i'r tywyllwch. Teimlodd Owen ei hun yn gwanhau.

"Garion nhw fe i'r fan hyn. Ond o'dd y gwa'd..." Oedodd Isaac, a'i feddwl yn gweld holl erchyllterau'r diwrnod hwnnw yn llusgo trwy ei feddwl o'r newydd. "Ond o'dd e wedi mynd."

Syllodd Owen ar gefn Isaac. Gallai weld y cryndod yn ei gorff.

"A'r noson 'ny, fe ddoth yr eira. Y cwbwl yn mynd yn dawel. Noson ar ôl noson. A'r cwbwl yn oeri. A gorffod i ni fynd i'r tŷ at Mam-gu. A'i adel e 'ma. Ffaelodd Mam edrych arna i ac fe deimles i Dat yn 'y ngadel i. A gorffod i ni aros nes bod yr eira'n dadleth cyn ddaethon nhw a'i gario fe dros y bont ac i lawr y mynydd ar eu hysgwydde. Ac fe wylies i nhw, o'r ffenest yn y tŷ. Ges i ddim mynd yn agos. I weud unrhyw beth wrtho fe. I'w weld e. A gorffes i ddysgu byw 'da... O'n i wedi dysgu byw 'da... Fe gwmpes i ar 'y mai bob dydd o'm ho's... A wedyn... ddath e 'nôl. Ddest ti 'nôl fan hyn."

Cofiodd Owen am lygaid Enoch arno y diwrnod cyntaf hwnnw ar ôl iddo agor ei lygaid. Yr hanner gwên. Y meddalwch.

"Fe welodd e Alun ynddot ti. Weles inne fe 'fyd. A gorffes i ei golli fe unweth 'to."

Syllodd Owen ar y llawr, a'r euogrwydd yn lledu trwy'i gorff. Meddyliodd am y gwenau, y ffon, ac am Isaac.

Roedd Enoch yn dechrau symud. Cydiodd Isaac yn ffyddlon yn ei law. Agorodd ei lygaid a gwasgodd Isaac wydraid o ddŵr i'w wefusau. Syllodd ar wyneb Isaac fel na phetai'n ei adnabod. Syllodd wedyn ar y stafell fach ac ymlaciodd ei wyneb ychydig. Roedd ei wefusau yn ceisio yngan rhywbeth. Cydiodd Isaac yn dynnach yn ei law ac astudio'i wyneb, yn ceisio dirnad ei eiriau. Ceisiodd Enoch ffurfio llythrennau. Gair. Pwysodd Isaac dros ei wyneb a rhoi ei glust i'w geg. Gwrandawodd. Yna, trodd Isaac ei ben a llacio'i afael ar law ei dad. Cododd ei ben a syllu'n syth ar Owen.

"Alun," meddai'n syml.

Roedd dagrau poethion ar wyneb Owen erbyn hyn. Nodiodd Isaac a symud o'r ffordd er mwyn i Owen gael eistedd. Llonnodd wyneb Enoch a daliodd Owen yn ei law gan deimlo disgleirdeb llygaid yr hen ddyn arno. Roedd llygaid Enoch wedi eu sodro ar yr wyneb ifanc heb gau na symud. Safodd Isaac y tu ôl iddo, a thu ôl i ysbryd ei frawd, gan aros yn ufudd am y wawr.

3 4

Ehedydd

ROEDD YR HAF wedi aeddfedu yn y llwyni pan osododd Isaac y ffon o ddraenen ddu yn yr arch gydag Enoch. Daeth Jâms a Robert i helpu Isaac ac Owen i ysgwyddo'r arch dros y bont grog o'r bwthyn bach ac i lawr llethrau'r mynydd. Cerddodd y pedwar mewn tawelwch cyn i'w traed ddisodli pâr o adenydd a chorff pluog a hedfanodd i fyny yn annaturiol o syth. Daeth cawod o nodau cynddeiriog i lawr ar eu pennau a gwyliodd yr ehedydd Enoch yn gadael y mynydd am y tro olaf.

Aeth Owen i dorri'i wallt ac fe fenthycodd un o siwtiau Isaac a oedd lawer yn rhy fawr iddo. Bwytodd y ddau eu brecwast yn nhawelwch y tŷ, wedi eu hamgylchynu â chardiau gwynion.

Roedd y capel yn hanner gwag ac fe eisteddodd Isaac ac Owen yn y rhes flaen, a Jâms a Robert a'u gwragedd y tu ôl iddynt. Adnabu Owen y fenyw o'r siop a Dei Clawdd Melyn a'i wraig. Er bod yr haf ar drai, roedd y golau'n dal yn euraid ac fe syllodd Owen ac Isaac ar wrid tywyll pren yr arch a'r blodau gwynion fel eira arni. Siaradodd y ffeirad am hwn a'r llall, a'i lais yn codi a disgyn yn un don ddiddiwedd. Safodd Owen ac Isaac ar eu traed ar gyfer yr emynau a dim un o'r ddau yn canu.

Ailagorwyd y bedd teuluol i orffwys Enoch ynddo ac fe sylwodd Owen ar enw Alun wedi ei ysgythru ar waelod y garreg fedd. Chodai Isaac mo'i olwg i edrych arno'n iawn. Canolbwyntiodd hwnnw ar ollwng yr arch i'r bedd. Ar ôl i'r ffeirad leisio'r ymadawiad, fe safodd Isaac ar lan y bedd wrth i'r galarwyr yn eu du basio heibio iddo yn un rhes. Doedd hi ddim yn hollol dawel chwaith. Roedd rhai yng nghefn y rhes yn cloncan a siarad yn y modd y byddai pobol mewn angladd rhywun mor hen. Dyn a oedd wedi cael ei oed a'i amser. Doedd dim o'r tawelwch parchus a geir yn angladd rhywun ifanc. Safai Owen y tu ôl i Isaac yn gwylio'r wynebau gwynion yn pasio un wrth un. Rhai'n siglo llaw a dweud dim byd. Eraill yn nodio ac yn toddi'n ôl i'r dorf. Pwysai'r agorwyr beddi ar y ffens gerllaw yn eu dillad gwaith, yn bridd i gyd. Roedden nhw'n cloncan yn dawel ac un ohonyn nhw'n smygu. Doedd dim te. Roedd merched y capel wedi cynnig ond fe wrthododd Isaac. Byddai'r angladd yn ddigon iddo a doedd dim awydd arno sefyll yn y neuadd yn sôn am brisiau ŵyn a pha mor dda oedd y cacennau. Gwyddai fod ambell un yn siarad wrth gât y capel a rhai ohonynt yn enwog am fynychu angladdau ar gownt y te. Ond doedd dim ots gan Isaac.

Roedd Isaac yn troi i adael pan gydiodd Dei Clawdd Melyn yn ei law. Nodiodd Isaac arno heb ddweud gair. Edrychodd Rosemary arno a chydio'n garedig yn ei fraich. Trodd Dei i fynd ond safodd Rosemary am eiliad ac fe sylwodd Owen ar ryw dynerwch rhwng y ddau. Nodiodd Isaac wrth ei gwylio'n troi ac ailgydio ym mraich Dei.

"Chi'n gwbod lle y'n ni os o's ise ni." Jâms oedd yno, ei got fawr amdano unwaith eto.

"Diolch i chi," atebodd Isaac.

"O'n i'n meddwl y byd o'r hen foi," meddai Robert wedyn.

Edrychodd Isaac arno ac fe wyddai ei fod yn dweud y gwir.

"Cofiwch nawr 'te," meddai Jâms eto cyn nodio ar Owen a throi.

Ymlwybrodd rhai i'r dafarn yn ara bach, yn enwedig y rhai a arferai gronni yno. Roedd hanner y diwrnod wedi ei wastraffu a doedd dim synnwyr gwastraffu'r hanner arall yn mynd yn ôl at eu gwaith. Ond eu gwylio'n mynd wnaeth Isaac. Doedd dim byd yn ei alw yno mwyach. Dim byd yn ei yrru. Roedd yna ryw lonyddwch newydd amdano, ac er bod rhaid iddo yfed hyn a hyn o wisgi y dydd i gadw'r cryndod o'i ddwylo, roedd ei syched wedi lleihau. Wedi pylu. Sefyll yn aros am Owen wnaeth e, a chan ei bod hi'n ddiwrnod sych, fe gerddodd y ddau yn eu siwtiau duon yn ôl ar hyd y llwybr i'r mynydd gyda'i gilydd.

Tynnodd Isaac ei siwt a'i hongian, a gwisgo hen drowser a hen grys yn ôl amdano. Fe aeth i lawr y grisiau lle roedd Owen yn eistedd wrth y tân, wedi tynnu ei dei. Gwnaeth ychydig o fwyd i'r ddau a chario plât bach at Owen ar bwys y tân. Yna, fe drodd, gan edrych ar gadair ei dad ac oedi am eiliad cyn eistedd yn dawel ynddi. Roedd y cloc yn cerdded yn araf, a sŵn y tân yn gysurus o gyfarwydd. Bwytodd y ddau mewn tawelwch cyn yfed eu te. Yna, ar ôl ei fwyd, fe dynnodd Isaac ei gwdyn o faco o'i boced ac, am y tro cyntaf erioed, fe smociodd yn y tŷ. Tynnodd y mwg i'w ysgyfaint a sylwodd Owen ar ei ysgwyddau'n llacio ychydig.

"Ma 'da fi rywbeth i neud," meddai Owen gan dorri'r tawelwch, "cyn gadel."

Edrychodd Isaac arno. Roedd Owen wedi bod yn y siop pan aeth i'r pentre i dorri ei wallt ac fe brynodd bapur ysgrifennu glân. Ers marwolaeth Enoch, roedd y geiriau wedi dechrau cronni ynddo fel gwenyn. Yn hymian ym mhob rhan o'i gorff a'i ben. Byddent yn ei ddihuno yn y nos, yn mynnu ei sylw ac yn bygwth dianc ohono bob tro yr agorai ei geg.

"Ma ise i fi neud un peth ac wedyn fe af i."

Nodiodd Isaac yn dawel. Gwrandawodd y ddau ar sŵn y tân am ychydig.

"O't ti'n caru Rosemary." Daeth y geiriau o enau Owen yn

annisgwyl. "Wedodd Dei gath e ei ffordd. Ife 'da Rosemary o'dd e'n feddwl?"

Trodd Isaac ei lygaid arno cyn rhoi hanner gwên drist. Taflodd weddillion y sigarét i'r tân ac oedi.

"Fuon ni'n caru. Pan o'n ni dy oedran di. O'dd hi'n gweld heibio i hwn," a chododd Isaac ei law at ei farcyn geni. "Heibio i'r holl glebran." Roedd ei wên yn gynhesach erbyn hyn. "Bydden ni'n mynd lan i'r llyn. Nofio. Ymhell o bawb. Mas o'r ffordd." Cymylodd ei lygaid unwaith eto. "Ond wedyn, pan ffindion nhw'n bod ni'n caru, do'dd 'i rhieni hi ddim yn fodlon."

Gallai Isaac weld yr annealltwriaeth ar wyneb Owen. "Yr holl storis am 'y nhymer i. Y marcyn geni. Fydden i fyth 'run peth â phawb arall. A ddoth Dei wedyn a sibrwd pethe yn ei chlust hi."

"A briododd hi Dei," meddai Owen.

"O'dd hi'n ifanc," amddiffynnodd Isaac yn syth.

Cofiodd Owen am yr edrychiad rhwng y ddau, y prynhawn hwnnw yn y fynwent. Roedd ei chariad tuag ato yn dal yn eglur. Syllodd yntau i'r tân a'i ben yn dechrau trymhau o gymhlethdodau'r dydd.

"Wi'n credu ei fod e wedi neud ei ore," meddai Isaac wedyn. "Dat. Ond do'dd e ddim yn gwbod shwt."

Meddyliodd Owen am law Enoch yn ei law yntau. Ei lygaid arno'r noson olaf honno. Y cariad a'r balchder oedd ynddyn nhw. Yr agosatrwydd a'i denodd ef tuag ato.

"Wi'm yn cofio 'nhad i. Dim llawer." Doedd Owen ddim yn gwybod o ble ddaeth y geiriau. "Wi'n clywed ei lais e weithe, 'na i gyd."

Doedd Isaac ddim wedi adnabod ei dad yn iawn chwaith.

"Wi'm yn credu o'n i'n gwbod be i neud. Shwt i dyfu'n... O'n i wedi marw, ti'n gweld..."

Gallai Isaac weld yr ansicrwydd ar ruddiau'r bachgen. Roedd

ei wallt wedi goleuo dros yr haf ond roedd e'n edrych fel dyn ar ôl torri ei wallt.

"Wi 'di bod fel'na eriôd. O'n i wedi marw pan ddes i 'ma. O'n i'n anadlu, yn cerdded. Ond o'dd rhwbeth yn bod. O'n i'n wag. Mynd o un lle i'r llall, ca'l gwaith fan hyn a fan draw a dim byd yn neud synnwyr. A wedyn ddes i fan hyn. I'r bwthyn. A deimles i'n anadl i'n dod yn ôl. Ac yn ara bach ddes i 'nôl yn fyw..."

Roedd y dydd yn tynnu ei gynffon ato, a'r tân wedi llosgi'n eirias. Cododd Isaac yn ara bach cyn gorffwys ei law ar ben Owen am eiliad. Caeodd hwnnw ei lygaid gan deimlo'r cyffyrddiad. Safodd y ddau am ennyd. Daeth rhyw wlyborwch i lygaid Owen.

"Nos da, 'machgen i," meddai Isaac yn dawel.

Yna, fe deimlodd fysedd Isaac yn ei adael. Gwyliodd Owen ef yn dringo'r grisiau. Fe gysgai ar bwys y tân heno eto.

3 5

Stori

Roedd y ddraenen ddu wedi dod i ffrwyth, a'r eirin cymylog yn drwch glas arni. Safai nyth y dryw yn wag a'r cywion wedi hedfan a dail yr hen ffawydden wedi dechrau crino uwch ei phen. Roedd y dŵr yn rhedeg yn gryf ar y mynydd a chlychau'r nant yn swnllyd. Llusgodd Owen y gwely o'r ffenest a'i osod ar hyd y wal cyn tynnu'r bwrdd bach yno yn ei le. Gallai edrych allan drwy'r ffenest wrth ysgrifennu wedyn. Byddai'n eistedd yno, a'r pensel yn ei law, yn arllwys y geiriau ar y papur nes fod ei law yn gwynio a'i war yn dost o blygu dros y bwrdd.

Yna, pan fyddai golau'r dydd yn pylu, byddai'n cynnau cannwyll, yn diferu ychydig ddafnau o wêr ar wyneb pren y bwrdd ac yn gwasgu gwaelod y gannwyll i mewn iddo cyn iddo sychu er mwyn ei chadw ar ei thraed. Byddai'n medru ysgrifennu am rai oriau eto wedyn a'r golau melyn yn dawnsio ar hyd y tudalennau.

Doedd e ddim wedi gweld y sgwarnog ers wythnosau. Ers y noson honno y'i gwelodd hi yn syllu arno drwy'r ffenest, fe wyddai'n ddwfn yn ei enaid na welai hi fyth eto. Lle unwaith y byddai hyn wedi ei lenwi â rhyw ofn dychrynllyd, fe wyddai, rywffordd, erbyn hyn, y byddai hi'n iawn. Yn lle ei ffurf hithau, byddai'n edrych am un Isaac. Byddai'n gweld hwnnw wrth ei waith, yn cerdded y mynydd. Yn porthi. Byddai'n treulio llawer mwy o amser adre ac ar y ffald erbyn hyn ac fe fyddai Owen yn ymlwybro i lawr oddi ar y mynydd rhyw deirgwaith yr wythnos i fwyta swper gydag ef. Câi'r ddau bryd syml o facwn ac wy neu fe fyddai Isaac yn rhostio rhyw ddarn o gig ac fe fyddai'r ddau'n bwyta mewn tawelwch hamddenol wrth y tân. Byddai Isaac yn tynnu'i gwdyn baco mas wedyn ac yn sôn wrth Owen am ei gynlluniau ar gyfer y tymor newydd. Ble roedd angen ffensio a phryd yn union yr oedd yn golygu troi'r hyrddod allan eleni. Cerddai Owen yn ôl wedyn yn y tywyllwch, yn gwrando ar synau'r nos a mwg tân Isaac yn codi'n golofn y tu ôl iddo, i fyny i'r sêr.

Roedd y geiriau'n llifo fel Nant y Clychau ac fe wrandawai arnynt a gadael iddynt lenwi ei bapurau gwynion â'u sŵn a'u cleber nes bod olion ei bensel i'w gweld ymhobman. Fel afon, fe fynnodd y geiriau ddod o hyd i'w llwybr eu hunain a'r cymeriadau'n dechrau sibrwd i'w glustiau fel clychau'r nant. Byddai'n eistedd yno'n chwerthin weithiau, yn llonni drwyddo, ac weithiau, ar ambell dro trist, byddai'n ysgrifennu trwy ei ddagrau. Ar ôl yr holl flynyddoedd pan oedd ei synhwyrau wedi pylu, fe deimlai bob gwên a phob deigryn o'r newydd. Yn amrwd. Yn elfennol. Yn boenus o hardd. Gadawodd i'r cyfan lifo drosto fel dŵr.

Weithiau, byddai'n codi ac yn mynd i olchi ei wyneb yn y nant. Ac weithiau, byddai'n cerdded allan i'r mynydd i wylio'r barcutiaid yn croesi ei gilydd yn yr awyr. A phob nos, ar ôl gorffen ysgrifennu am y dydd, byddai'n mynd i eistedd yn fud ar y fainc i wrando ar y tawelwch. Gwyliai'r gwyfynod yn taro eu pennau ar wydr y ffenest ar ôl cael eu swyno gan olau'r gannwyll oedd yno. Gwrandawai ar y dylluan yn dechrau helfa arall. Syllai wedyn tuag at y golau yn y tŷ islaw ac fe fyddai'n gwenu. Gwyliodd yr haf yn diflannu o'r mynydd a'r hydref yn gosod ei liwiau'n ofalus unwaith eto. Gweithiodd ddydd a nos nes bod ei stori wedi ei gorffen.

Ac yna, roedd pob llythyren yn ei lle. Pob gair wedi ei naddu, ei gerfio a'i grefftio. Roedd y cyfan wedi bennu. Teimlodd drwch y papurau yn ei ddwylo. Eu pwysau sicr. Roedden nhw'n sibrwd, rywffordd. Yn fyw. Y stori yn barod i ehedeg. Cododd ei ben a gweld adlewyrchiad ei wyneb yn glir yng ngwydr y ffenest, cyn gwenu. Yna, fe bwysodd ymlaen, a chwythu i ddiffodd y gannwyll.